マンガでわかる
電気数学

田中 賢一／著
松下 マイ／作画
オフィスsawa／制作

Ohmsha

本書を発行するにあたって、内容に誤りのないようできる限りの注意を払いましたが、本書の内容を適用した結果生じたこと、また、適用できなかった結果について、著者、出版社とも一切の責任を負いませんのでご了承ください。

本書は、「著作権法」によって、著作権等の権利が保護されている著作物です。本書の複製権・翻訳権・上映権・譲渡権・公衆送信権（送信可能化権を含む）は著作権者が保有しています．本書の全部または一部につき、無断で転載、複写複製、電子的装置への入力等をされると、著作権等の権利侵害となる場合があります。また、代行業者等の第三者によるスキャンやデジタル化は、たとえ個人や家庭内での利用であっても著作権法上認められておりませんので、ご注意ください。

本書の無断複写は、著作権法上の制限事項を除き、禁じられています。本書の複写複製を希望される場合は、そのつど事前に下記へ連絡して許諾を得てください。

出版者著作権管理機構
（電話 03-5244-5088，FAX 03-5244-5089，e-mail：info@jcopy.or.jp）

JCOPY ＜出版者著作権管理機構　委託出版物＞

はじめに

　本書は、電気工学や電子工学などを勉強する際に必要不可欠な数学の知識について、マンガを用いてやさしく解説したものです。電気回路などの例題を解きながら、解く際にわかりにくいであろう数学的な内容の理解を深めることを趣旨としています。

　したがって、電気工学や電子工学を勉強する方はもちろん、普通科の高校生などにも比較的わかりやすい数学の文章題としての参考書となるように書かれています。

　ところで、電気工学や電子工学を勉強しようとする場合、数学というものを全く無視して勉強することはできません。なぜなら、電気工学や電子工学の学問体系は数学における知識を組み立てることによって成り立っているからです。

　実際に、大学で電気回路や電気磁気などを勉強する場合や、工業高校で電気基礎から勉強する場合にあっても、少なからずや数学が出来ていないと勉強するのに苦労するかと思われます。そのため最近では、電気数学というキーワードの書籍もたくさん出回っていて、電験三種などの受験対策に役に立っているようです。

　その意味では本書もその一翼を担っているものでありますが、本書の最大の特徴は、マンガを用いて数学と電気の基礎知識を説明するとともに、電気回路などの演習問題の考え方を会話形式でじっくり丁寧に解説したところにあります。本書を執筆するにあたってはいたずらに厳密な展開を避け、実用的にわかりやすくなるようにしました。そのほうが、基礎的段階を踏もうとしている読者には取りかかりやすいと考えたからです。

　本書を読み終わった後には、さらに高度な内容の参考書（大学なら電気回路や電気磁気学、工業高校なら電気理論や電子技術など）を読み、さらなるレベルアップをされることを期待しています。

　本書の制作にあたり、オーム社開発局の諸氏、作画を担当された松下マイ氏、制作を担当されたオフィスsawaの諸氏に感謝申し上げるとともに、本書をお手にとって下さった皆様にも感謝申し上げます。加えて、本書により電気回路や電子回路を勉強するための一助となるならば、著者の最高のよろこびとするところです。

2011年11月

田　中　賢　一

目　次

プロローグ　　イルミネーションなんて大嫌い！？　　1

第1章　電気数学とは？　　15

1　電気の基礎知識　　16
- 電気に関する用語　　18
- 電気の記号と単位　　18
- 電気回路の基本　　20
- コイルとコンデンサ　　22
- オームの法則　　22
- 直列と並列　　23

2　交流ってなんだろう？　　24
- 直流と交流　　24
- 観覧車を見てみよう　　27
- 観覧車と sin のグラフ　　28
- 単位円と sin のグラフ　　30
- サインカーブと交流の関係　　32
- 交流の周波数　　33
- 交流の最大値・実効値・瞬時値　　35
- 交流を sin の式で表してみよう　　36

3　電気数学に必要な数学は？　　38
- 必要な数学の全体像　　38
- 連立方程式　　40
- 三角関数　　41
- ベクトルと位相　　41
- 虚数 i は想像上の数　　45
- 複素数の基本　　46

　　・複素ベクトルを書いてみよう ……………………………… 48
　　・複素数とベクトルの関係 ………………………………… 50
　～数の分類。実数ってなんだろう？～ ……………………… 54

第2章　方程式・不等式で解ける電気回路
（その1、直流回路）…………… 55

⚡ 1 問題を解くために知っておきたい事柄 …………… 56
　　・キルヒホッフ第1法則 …………………………………… 58
　　・電圧降下ってなんだろう？ …………………………… 60
　　・キルヒホッフ第2法則 …………………………………… 62
　　・キルヒホッフ第1法則は、合計ゼロの法則！ ………… 66
　　・キルヒホッフ第2法則は、合計ゼロの法則！ ………… 67
　　・合成抵抗 ………………………………………………… 70
　　問題　直流電源と抵抗を、それぞれまとめてみよう！ ……… 72

⚡ 2 連立方程式を用いた直流回路の問題 ……………… 76
　　・連立方程式と行列 ……………………………………… 76
　　・行列と行列式 …………………………………………… 78
　　・行列式って、どんなもの？ …………………………… 79
　　・行列による二元連立方程式の解き方 ………………… 81
　　・行列による三元連立方程式の解き方 ………………… 85
　　・ホイートストンブリッジ回路 ………………………… 88
　　問題　閉ループから、連立方程式を立てよう！ …………… 90
　　・ホイートストンブリッジ回路の平衡条件 …………… 94

⚡ 3 不等式の問題 …………………………………………… 96
　　・不等式の性質 …………………………………………… 96
　　問題　不等式に気をつけながら、範囲を求めてみよう！ …… 98
　　・1次不等式 ……………………………………………… 100

第3章　三角関数とベクトル ……………………… 103

⚡ 1　交流を扱うための基礎知識 ……………………… 106
- ・交流はややこしい…？ ……………………… 106
- ・位相を表すベクトル ……………………… 108
- ・角度の新しい表し方 ……………………… 110
- ・弧度法 ……………………… 112
- ・ωは、角速度かつ角周波数 ……………………… 114

⚡ 2　交流におけるベクトルの使い方 ……………………… 116
- ・位相の原因ってなんだろう？ ……………………… 116
- ・コイルの特徴 ……………………… 118
- ・コンデンサの特徴 ……………………… 121
- ・抵抗の特徴 ……………………… 123
- ・交流における素子のまとめ ……………………… 124
- ・インピーダンスってなんだろう？ ……………………… 125
- ・位相を考慮してベクトルを使おう ……………………… 126
- ・家電製品に欠かせないもの？ ……………………… 130
- ・力率 ……………………… 132
- ・無効電力が生まれる仕組み ……………………… 137
- ～三角比・三角関数の公式～ ……………………… 140

第4章　複素数 ……………………… 143

⚡ 1　複素数の性質 ……………………… 146
- ・虚数は味方！ ……………………… 146
- ・虚数の掛け算 ……………………… 147
- ・虚数と位相の関係 ……………………… 150
- ・式についての補足 ……………………… 153
- ・虚数はどうして生まれたのか ……………………… 154

⚡ 2　複素数で表せる重要な式 ……………………… 156
- ・オイラーの公式 ……………………… 156

- ・交流の式を複素表示してみよう ... 160
- ・複素数の色々なベクトル表示方法 ... 162
- ・ベクトル表示の補足 ... 165
- ・複素数の計算方法 ... 169

3 複素数を用いた問題 ... 172
- **問題** 複素数のありがたさを知ろう！ ... 172
- ・微積分方程式を置き換えよう ... 175
- ・いつの間にか微分・積分をしている！？ ... 178

4 三相交流回路 ... 180
- ・電線に注目しよう！ ... 180
- ・単相交流と三相交流 ... 181
- ・三相交流の回路図 ... 183
- **問題** 電流ゼロを証明してみよう！ ... 186
- ・スズメはどうして感電しないのか？ ... 188

第5章 方程式・不等式で解ける電気回路
（その2、直流回路） ... 195

1 2次方程式、2次不等式の解き方 ... 198
- ・2次方程式と2次不等式 ... 198
- ・解の公式 ... 200
- ・整式の因数分解 ... 202
- ・連立不等式の解き方 ... 204
- ・2次不等式の解き方 ... 205

2 ラジオに関する電気数学の問題 ... 206
- ・同調ってなんだろう？ ... 206
- ・共振周波数 ... 209
- **問題** 共振周波数を求めよう！ ... 212

- ・増幅とトランジスタ……………………………………………214
- ・等価回路……………………………………………………………217
  - **問題** 可変コンデンサの範囲を求めよう！……………………220

⚡ 3 力率に関する電気数学の問題　224
- ・力率改善の2つの方法……………………………………………224
- ・（1）無効電力制御…………………………………………………226
- ・（2）インバータ制御………………………………………………231
  - **問題** 周波数の範囲を求めよう！…………………………………234
- ・ヒートポンプ………………………………………………………237

エピローグ　242

- ・関連書籍・参考文献………………………………………………253
- ・索引…………………………………………………………………258

プロローグ

イルミネーションなんて大嫌い！？

電力会社の者です！

えーとですね！
今回異例の寒波が続いているため、
電気料金未納の方にも
特別に電気を供給するよう
政府からのお達しがありまして

一戸一戸訪問して
供給をお知らせしてたんですー

申し遅れましたが私
田川電力の、橘と申します

どうぞお見知りおきを！

名刺

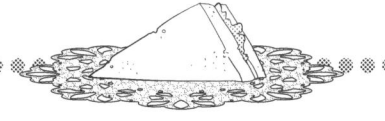

三角関数

θ（シータ）は角度を表す記号です

$\dfrac{AC}{AB} = \sin\theta$

$\dfrac{BC}{AB} = \cos\theta$

$\dfrac{AC}{BC} = \tan\theta$

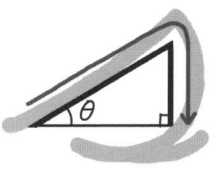

左図の太線2辺と角度θの関係は、$\sin\theta$ で表します
（筆記体の「s」で覚えましょう）

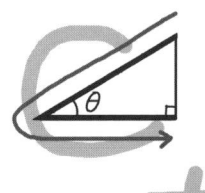

左図の太線2辺と角度θの関係は、$\cos\theta$ で表します
（筆記体の「c」で覚えましょう）

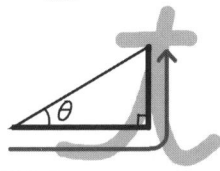

左図の太線2辺と角度θの関係は、$\tan\theta$ で表します
（筆記体の「t」で覚えましょう）

「電気は基本的に**目に見えないもの**ですよね？」

「ですが例えば、この**三角関数**を使うとそんな「電気」というものについて考えるのにとても便利なのです」

「これが電気数学の発想なんですよ！」

「それにこのsinなどは電気の世界ではすっごく大事でして、それはもうカレーライスのルーみたいなものです！

なぜそんなに大事かというと電気の流れには**直流**と**交流**という2種類がありましてですねっ」

※詳しくは、第1章で説明します。

「わ〜っ！
そんなに一気に言われても…！」

…じゃあ、これも何かの縁っつーことで

お願いします

——事実、

あとから考えてこの出会いが

俺の将来を 明るく照らしたのだった

…それにしても
街にはイルミネーションが
溢れているのに

なぜあなたのお部屋は
あんなに暗いんでしょうね…

…すぐに払います…
すみません…

第1章

電気数学とは？

1 電気の基礎知識

電気に関する用語

電気の流れは、
水の流れと比較してみると
わかりやすいですね

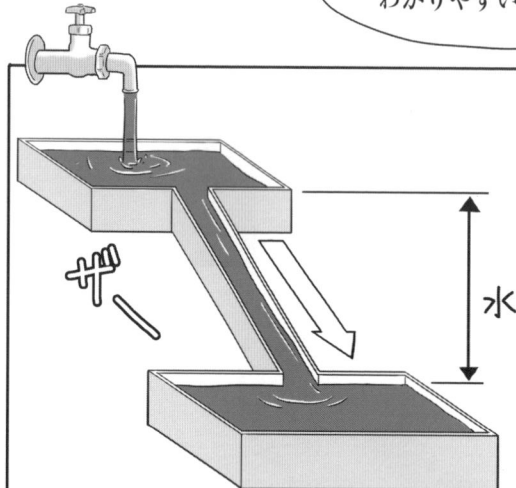

水は高いところから低いところに
流れていきますよね。電気もそれと同じです。

水位差（水圧）によって、水が流れるように
電位差（電圧）によって、電気が流れます。

水位差＝電位差
＝
電圧

つまり、『電圧』とは
電気を流そうとする圧力
なのです。

電気の記号と単位

量	記号	単位
電圧	V または E	V （ボルト）
電流	I	A （アンペア）
抵抗	R	Ω （オーム）
電力	P	W （ワット）
周波数 (P.34参照)	f	Hz （ヘルツ）

Q. どうして、電圧を表す記号は2種類あるの？

A. V…電圧や電圧降下　E…電源電圧
というふうに、電圧の種類で使い分けることがあるからです。

（本書では、第2章以降で使い分けています）

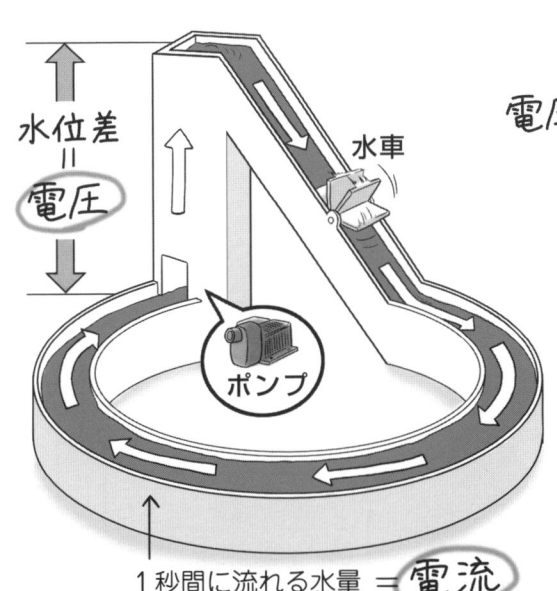

電圧×電流＝電力 となります。

『電流』とは
1秒間に流れる電気の量

『電力』とは
電気が流れて1秒間でする仕事の量です。

上の図の水車とポンプに注目しながら解説を読んでくださいね

水車に注目！

水車を電気に例えると、豆電球です。
水車が水流によってまわるように、
豆電球も電流によって、光を出すという仕事をします。

同時に、水車や豆電球は"流れのジャマ"になっています。
このようなものを「**負荷**」といいます。
負荷が流れの邪魔をすることで「**抵抗**」が生まれます。

抵抗とは、「流れにくさ」を表すものなのです。

ポンプに注目！

水を押し上げて水圧を生み出すポンプの役割は、
電気に例えると、乾電池となります。

これがないと、流れを生み出すことが出来ません。

電気回路では「**電源**」といいます。
電気の源となる部分ですね。

藤瀧 和弘 著『マンガでわかる電気』オーム社（2006）より一部引用

⚡ 電気回路の基本

電気回路とは、電流が回りめぐる経路のことです。
そして、電気回路図とは、電気回路をシンプルな図記号で表したものなのです。

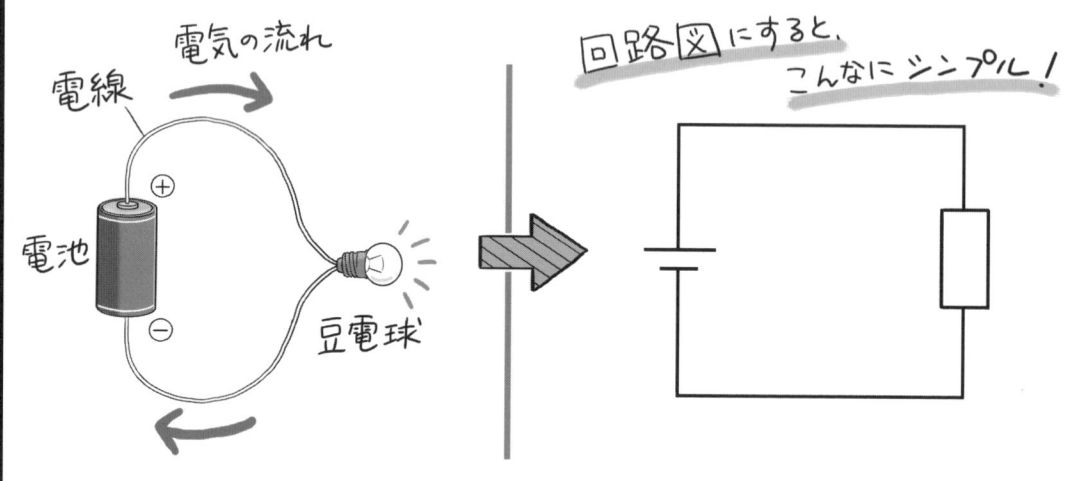

電気回路は、**電源電圧**、**電流**、**抵抗**の3つで構成されていて、
それらが電線で繋がっています。
この図の場合、電源電圧は乾電池。抵抗を生むのは、負荷である豆電球です。
電気回路は必ず閉じた形になっていて、それを**閉ループ**（閉回路）といいます。

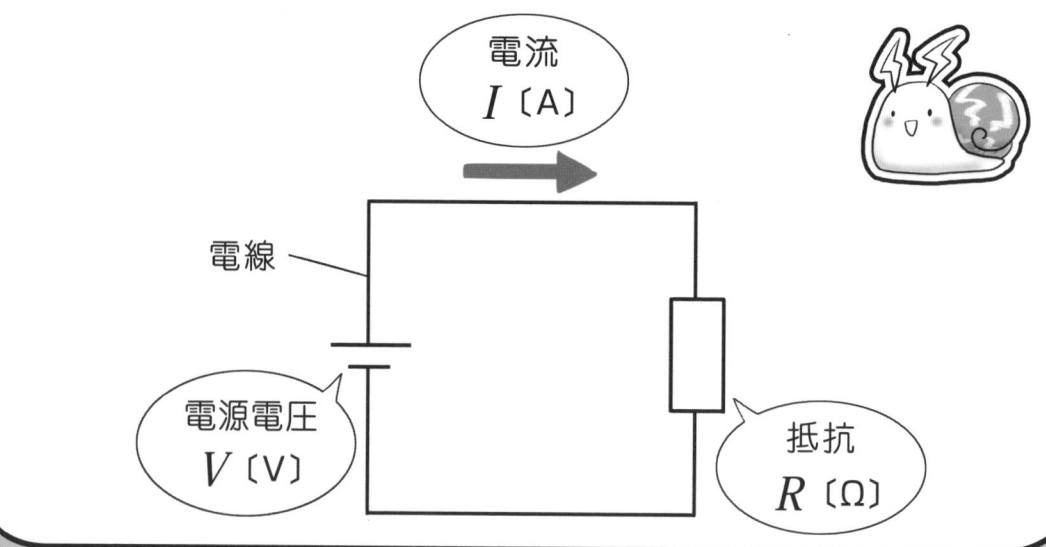

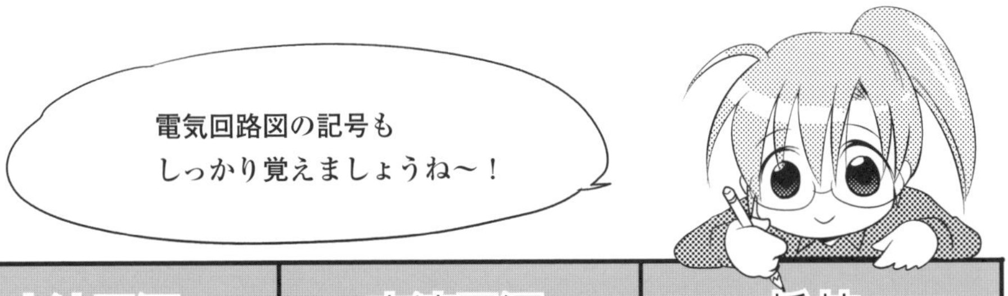

電気回路図の記号も
しっかり覚えましょうね〜！

直流電源	交流電源	抵抗
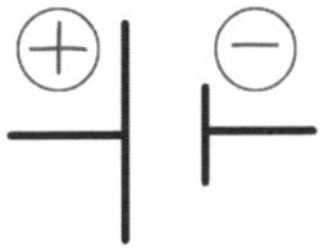 ⊕│├⊖	 〜⊙〜	 ─▭─
乾電池など。プラス（長い線）とマイナス（短い線）の違いに気をつけましょう。	家庭のコンセントなど。	電球など、負荷は全て抵抗となります。
スイッチ	コイル	コンデンサ
 ─／─	 ─⌒⌒⌒─	 ─┤├─
オン・オフ切り替えで、電流の流れを変えられます。	電線をくるくる巻いたもの。	2枚の金属板から出来ています。

★**コイル**と**コンデンサ**は、次ページでもっと詳しく！

電気回路を書くときには、JIS（日本工業規格：Japan Industrial Standards）によって定められた図記号を使います。

 旧

 新

抵抗の記号には、旧 JIS（1952 年制定）と新 JIS（1997-1999 年制定）があり、旧 JIS もよく使用されています。

コイルとコンデンサ

コイルは…

モータの中に入っていたり、
受信機のアンテナの部分だったり
します。

コンデンサは…

蓄電器（ちくでんき）ともいいます。
電気エネルギーを一時的に蓄えることが
出来るものです。

電子回路の様々な部分で用いられたり、
電力の無駄を少なくするために用いられます。

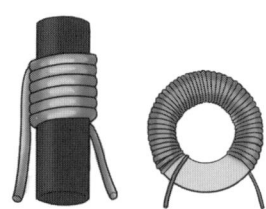
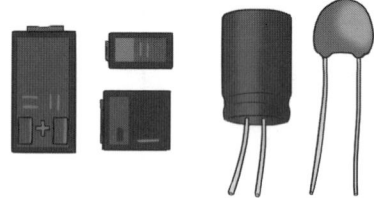

コイルやコンデンサは、電気回路によって、果たす役割が違うのです。

オームの法則

電流 I は、電圧 V に比例し、抵抗 R に反比例して流れます。
これは『オームの法則』といって、
電気回路において最も重要で基本となるものです。

$$電流\ I = \frac{電圧\ V}{抵抗\ R}$$

電圧、電流、抵抗のうち2つの値がわかれば、**残りの1つも計算で求められる**ってわけかぁ

直列と並列

電気回路の接続方法は、大きく分けて2つあります。

直列接続	並列接続
	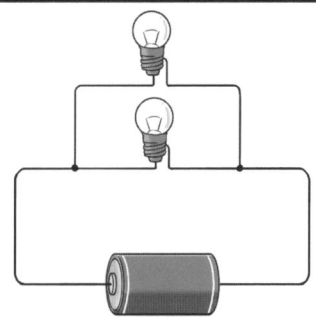
2つの抵抗を、直線的に接続します。	2つの抵抗を、並べて接続します。

「何が違うんでしたっけ？」

「電流の流れ方、電圧のかかり方が違うんですよー」

直列接続

電流は同じ大きさで流れる
抵抗1　抵抗2

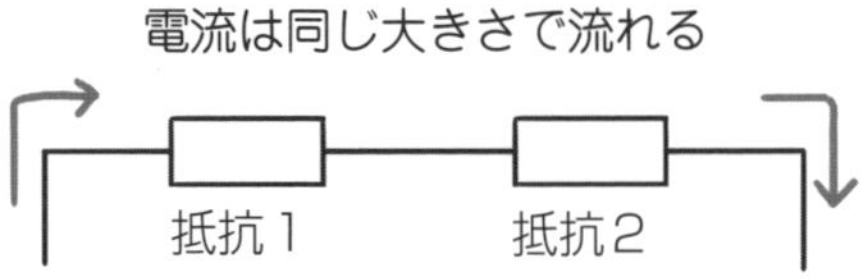

電源の電流＝抵抗1の電流＝抵抗2の電流
電源の電圧＝抵抗1の電圧＋抵抗2の電圧

並列接続

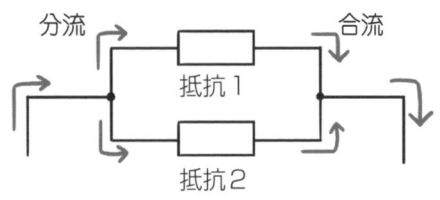

分流　　合流
抵抗1
抵抗2

電源の電流＝抵抗1の電流＋抵抗2の電流
電源の電圧＝抵抗1の電圧＝抵抗2の電圧

ここに書いてある基礎知識は、大切なことなのでしっかり覚えておいてくださいね♪

2 交流ってなんだろう？

直流と交流

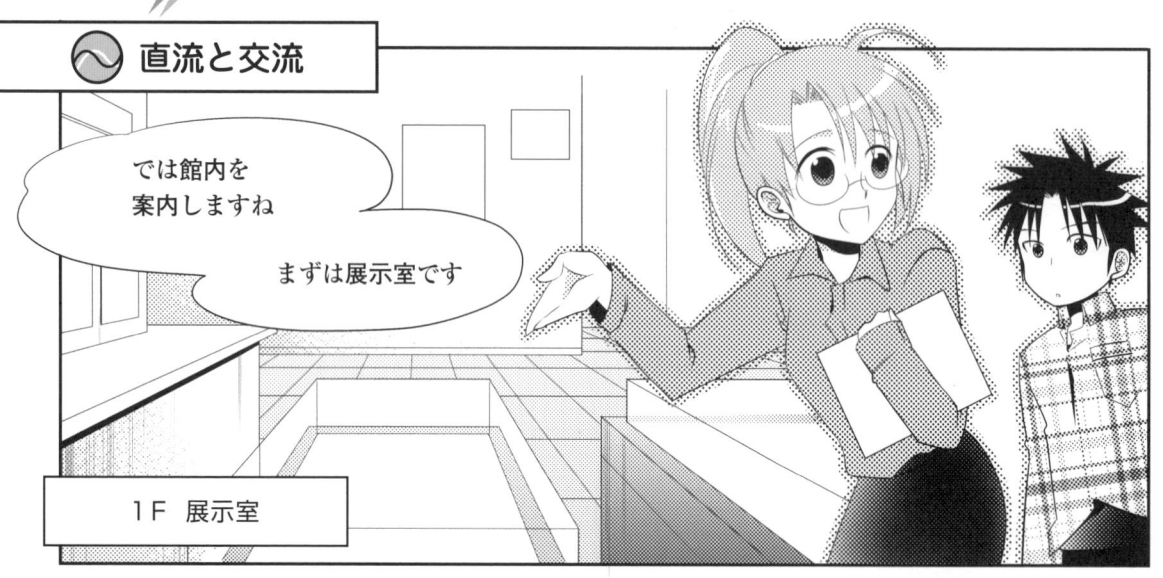

では館内を案内しますね

まずは展示室です

1F 展示室

さて早速ですが青沼さん！
「オシロスコープ」って聞いたことありますか？

お、お城…スクープ…！？

残念、違いますねぇ

じゃーん！これがオシロスコープです！

電気は基本的に目に見えないとお話しましたが、これを使えば**電流や電圧の変化**を測定できるんですよ！

ここに電気信号の形状…
波形（はけい）が表示されます

ピッ
ピッ

おー…
心電図みたいですね

ドラマとかでしか見たことないですけど

んもう！
特別にここで充電を許可します！
はいどうぞ！

すみません…

ん？

これは明らかに
展示用の
コンセント…？

実はそのACとは交流の
ことなのです

へえ！

コンセント

AC(交流)
⬇
DC(直流)

電気製品へ →

えへへ実は
そうなのです

このような
携帯やゲームの充電器を
ACアダプタと
いいますよね？

家庭用電気製品は
直流を使用するものが多く、
このACアダプタは
コンセントからの交流（AC）を
直流（DC）に変換する
大事な役割があるんですよ

観覧車を見てみよう

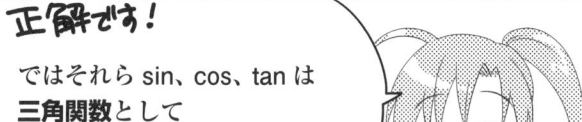

ところで青沼さん…
最初に sin、cos、tan が大事と
いったお話覚えてますか…？

おっ…覚えてます
覚えてます！

確かあの
サンドイッチの！
三角形の！

正解です！

ではそれら sin、cos、tan は
三角関数として
高校で習ったと思うのですが

三角関数のグラフを
一緒に習ったことは
覚えていますか？

グ、グラフ
ですか…

降参です

あぁーやっぱり…

ここはすっごく大事ですので
しっかり復習しましょう！

では、あの山の上を
見てください！

か、観覧車…？？

あの観覧車の楽しそうな動きを
眺めながら…
グラフを考えてみるのです…！

……

この人やっぱりちょっと…
発想がおもしろい…

観覧車と sin のグラフ

あの観覧車は、半径 10 m、6 分間（360 秒）で 1 周しています。
私たちは今から、あの黒いゴンドラの**高さ**に注目してみましょう。
何秒後に一番高くなって、何秒後に一番低くなるかわかりますか？

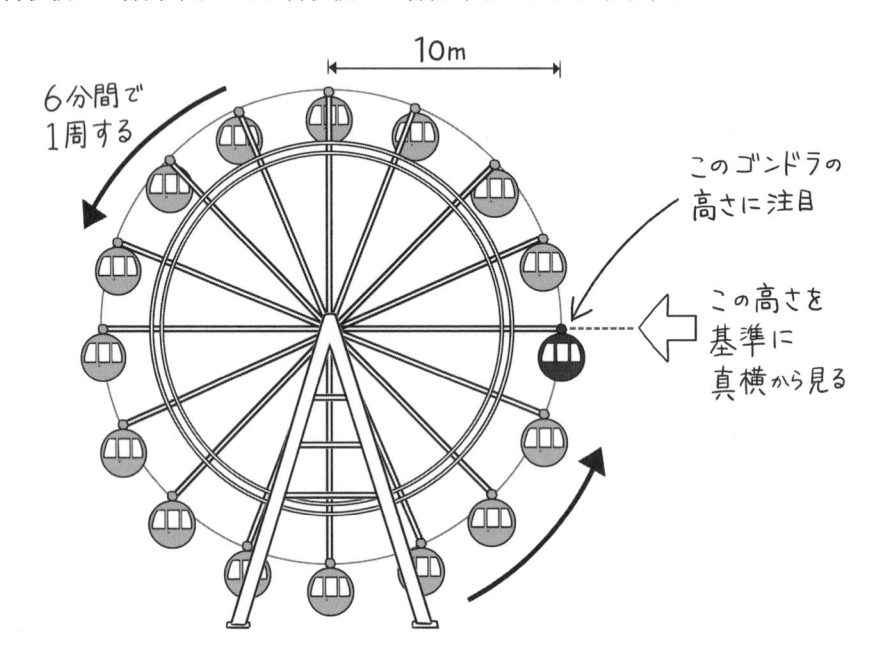

（図：観覧車。10 m の半径、6 分間で 1 周する。このゴンドラの高さに注目。この高さを基準に真横から見る。）

えっと、90 秒後に一番高くなって、270 秒後に一番低くなる…かな。

そうです！
黒いゴンドラの高さについてグラフにすると、こんな感じになりますねー。

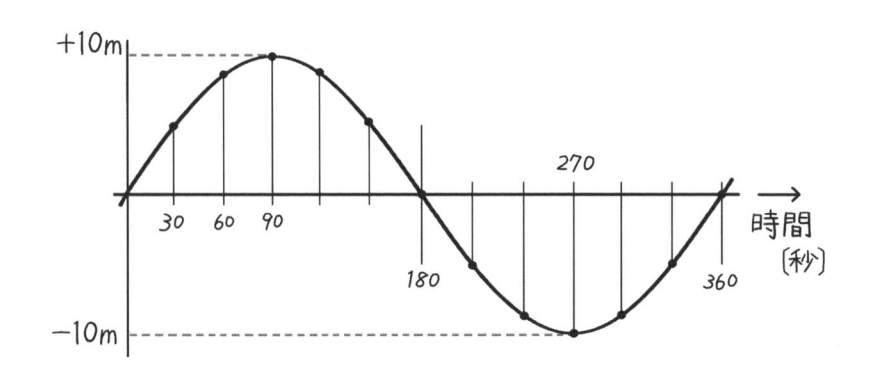

（グラフ：横軸 時間〔秒〕、縦軸 高さ。+10 m と -10 m の間を振動するサインカーブ。0, 30, 60, 90, 180, 270, 360 の目盛り。）

ふむふむ。

この波の形が、実は、**三角関数の sin のグラフ**そのものなのです！
関数とは、**一方の値が決まると、もう一方の値も決まる対応関係**のことです。
このグラフは、その対応関係が連続したものを表しているんですよ。

あ、なるほど！
時間がわかれば、黒ゴンドラの高さもわかる。
逆に、高さがわかれば、どれだけ時間が経ったかもわかるということですね。

その通りです！ ちなみになぜ三角関数というかというと…ほら！

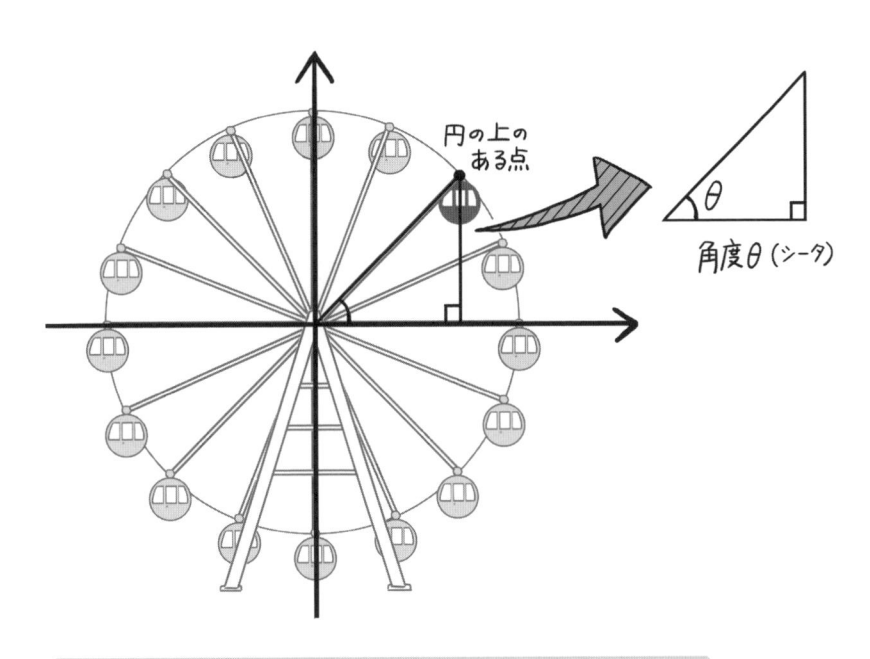

円上の一点から三角形が作れる様子

おぉ、三角形がありますね！

黒いゴンドラがぐるりと1周まわっていくのは、円周上をある点がまわっていく
「**円運動**」になっていますよね。
そして、円の上の、ある一点に注目すれば、このように三角形が作れます。

渋谷 道雄 著『マンガでわかるフーリエ解析』オーム社 (2006) より一部引用

単位円と sin のグラフ

では観覧車を卒業して、『**単位円**』で sin のグラフを考えてみましょう！

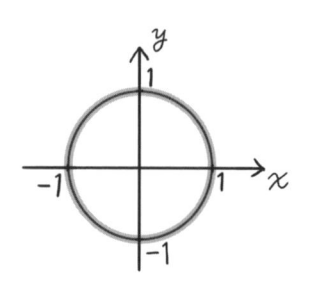

CHECK!
半径の大きさが 1 の円を**単位円**といいます。単位円はシンプルで便利なので、角度や波の形を考える際に、基準として用いられています。

ゴンドラがまわっているように、この円周の上をある点がまわっていく**円運動**をしていると考えてください。
そして、この円上のある一点に注目して、三角形を作ってみたとします。

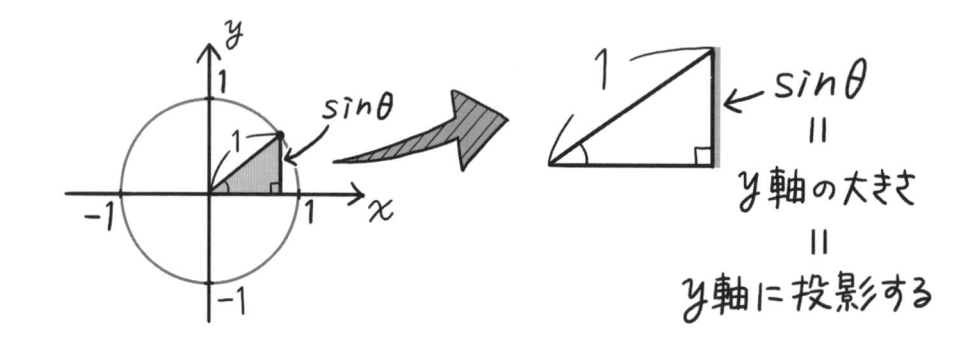

$\sin\theta$
=
y 軸の大きさ
=
y 軸に投影する

さあ、最初にお話した $\sin\theta$ の定義と見比べながら、考えてください。
（プロローグ P.11 参照）

ああ！ 三角形の高さが、そのまま $\sin\theta$ といえますね。

その通りです！ つまり、y 軸の大きさに注目していけばいいわけです。
数学的には、**y 軸に投影する**という言い方をします。

で、さっきの観覧車の例では、360 秒で 1 周（360 度）まわっていました。
これはそのまま、45 秒後には、角度 θ が 45 度。90 秒後には、角度 θ が 90 度。
…と置き換えて考えることも出来ますよねー。

というわけで、今までの話を全てまとめると、三角関数の sin のグラフは、以下のようになるのです！

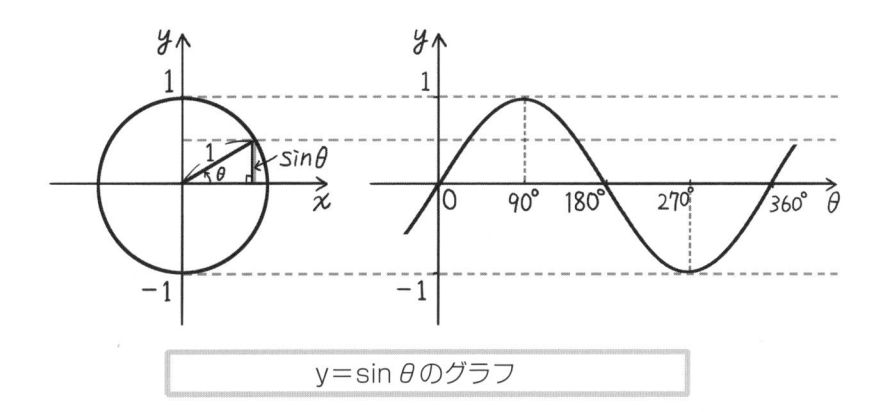

y＝sin θ のグラフ

あぁ～！！ なんか、高校でこういうの習った気がします。思い出しました！

さて、三角形の高さが sin θ であるように、**三角形の底辺の長さは cos θ と考えられます**。cos θ の定義を思い出せばわかりますね（P.11 参照）。
そして、三角関数の cos のグラフは、以下のようになるのです！

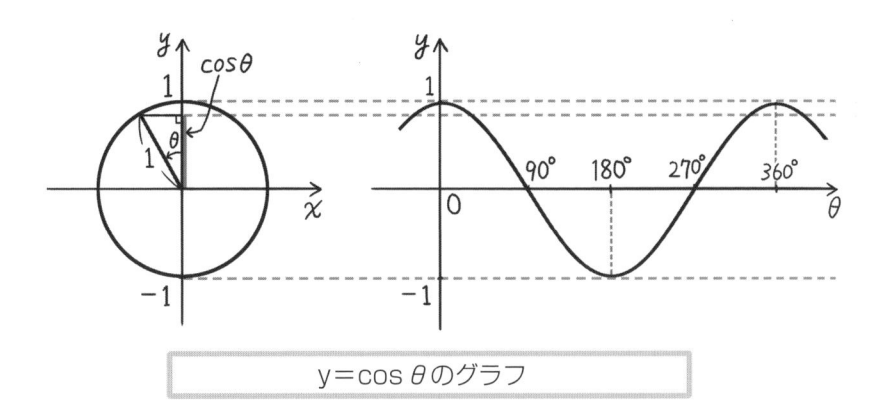

y＝cos θ のグラフ

sin のグラフも cos のグラフも形は一緒で、90 度ズレているだけなんですよね。

そうです。三角関数は、三角形だけではなくて、**回転運動や円とも密接に関係している**ことを、よーく覚えておいてください。

サンドイッチだけじゃなくて、観覧車も思い出せってことですね！

サインカーブと交流の関係

そんなわけでsinのグラフを思い出したわけですが…

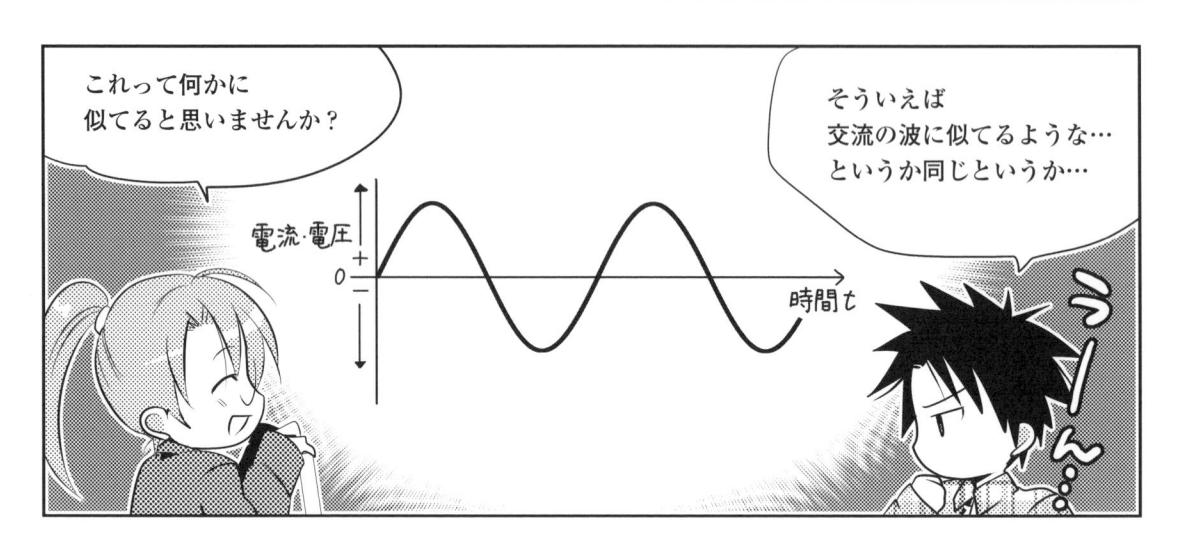

これって何かに似てると思いませんか？

そういえば交流の波に似てるような…というか同じというか…

うーん…

その通りです！
つまり**sinのグラフは、交流の波形**なんです！

正弦波 正弦波 交流

sinのグラフはサインカーブ（**正弦波**(せいげんは)）といいコンセントなどの交流もズバリ『**正弦波交流**』というのです！

このようにsinなどの三角関数は交流などの波形を解析する際に役立つのです

意味のない勉強ではなかったんですねー

三角関数から
サインカーブ…
サインカーブから
交流の波形…！

確かに…教わってる当時は「何の役に立つんだ」と思ってたけど

こうやってみると身近なところに繋がってくるんですねー

交流の周波数

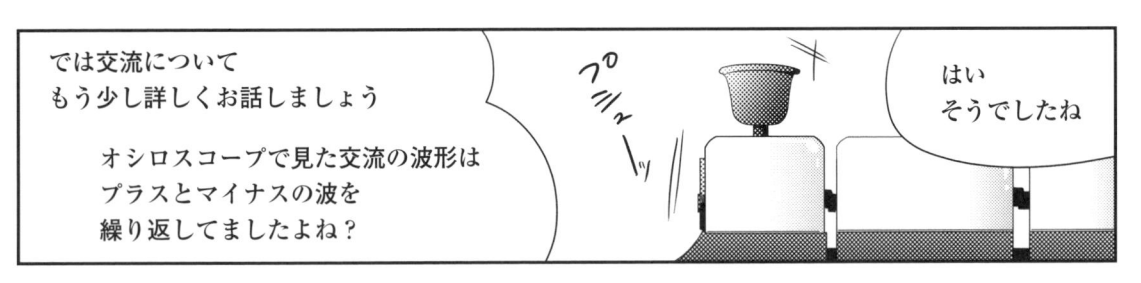

では交流について
もう少し詳しくお話しましょう

オシロスコープで見た交流の波形は
プラスとマイナスの波を
繰り返してましたよね？

はい
そうでしたね

実はこれ、
電気の流れる方向が
常に変化しているからなんです

コンセントの電気は
こんなふうに右回り、左回りを
繰り返してるんですよ

うーん…
忙しそうだ…

電流・電圧

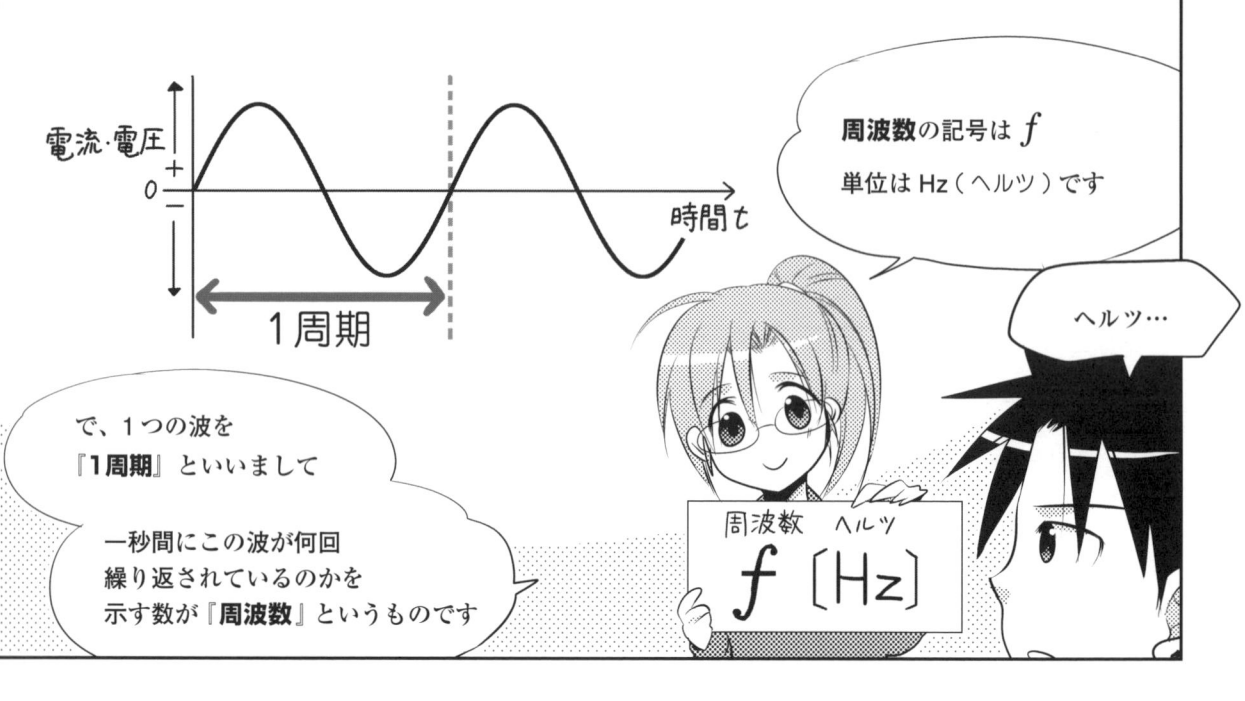

時間 t

1周期

で、1つの波を
『1周期』といいまして

一秒間にこの波が何回
繰り返されているのかを
示す数が『周波数』というものです

周波数の記号は f
単位は Hz(ヘルツ)です

ヘルツ…

周波数　ヘルツ
f [Hz]

ヘルツはけっこう
耳にしますよね…

よくわかんないけど
電化製品がどうのこうのとか…

？

あぁ、確かに！
関東と関西の
周波数の違いですね！

これは日本で発電が始まったときの
お話なのですが…
明治29年、関東はドイツから発電機を輸入し、
関西はその翌年にアメリカから発電機を輸入しました

その名残で今も、同じ国内なのに
関東と関西には周波数の違いが出てしまってるのです…

関西
60Hz

関東
50Hz

統一出来てないのは
私たち電力会社の
努力不足に他なりません…

ご迷惑を
おかけしています…！

深々…

いやいやいやいや
別に何もそんなつもりは…

交流の最大値・実効値・瞬時値

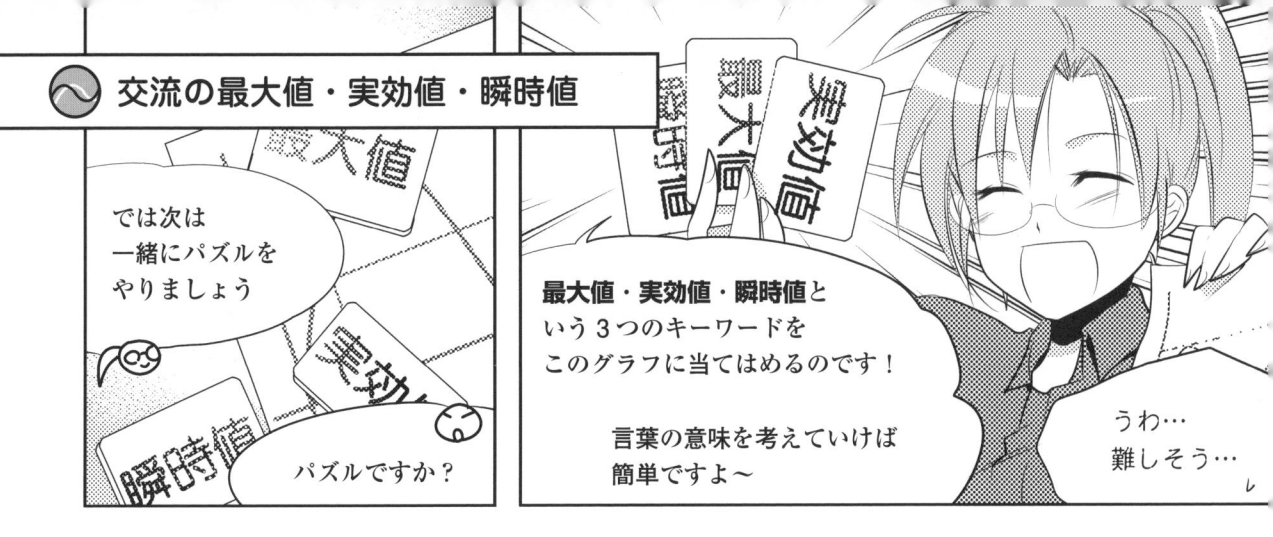

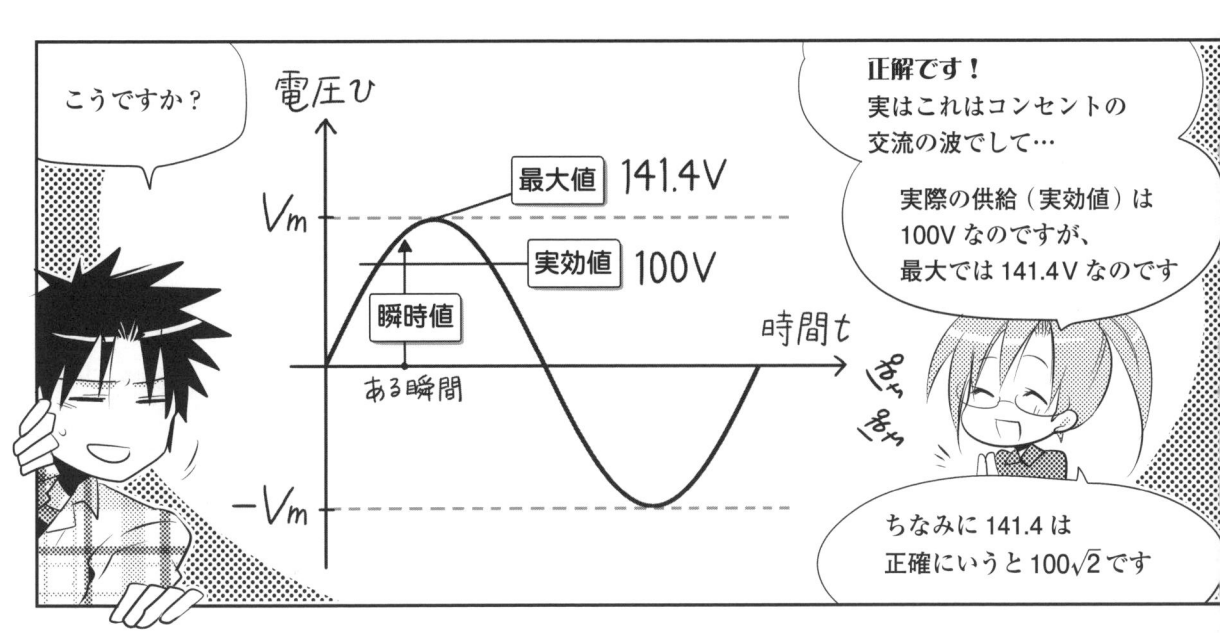

では次は一緒にパズルをやりましょう

パズルですか？

最大値・実効値・瞬時値という3つのキーワードをこのグラフに当てはめるのです！

言葉の意味を考えていけば簡単ですよ〜

うわ…難しそう…

まず『最大値』は波のピークですね

それから『実効値』は実際に供給されている数値

『瞬時値』とはある瞬間の電流や電圧の数値です

えーと…

家庭用のコンセントから供給されている電圧は100Vだったような…

てことは…

こうですか？

電圧 v
V_m
最大値 141.4V
実効値 100V
瞬時値
ある瞬間
時間 t
$-V_m$

正解です！
実はこれはコンセントの交流の波でして…

実際の供給（実効値）は100Vなのですが、最大では141.4Vなのです

ちなみに141.4は正確にいうと$100\sqrt{2}$です

さらに、V_mは電圧の最大値
I_mは電流の最大値を表しています

mは、MAXのmなんですよー

MAX!

なるほど…そりゃわかりやすいですね

交流をsinの式で表してみよう

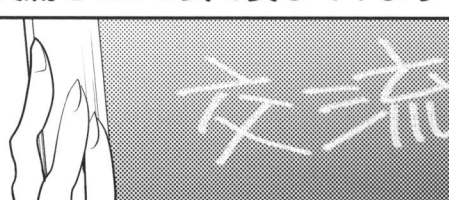

では最後に
交流についてまとめてみましょう！

交流はsinのグラフと同じでしたよねー

ですので交流の電流iと電圧vはsinを用いてこんな式で表すことが出来ます

交流電流　　$i(t) = I_m \sin \omega t$

交流電圧　　$v(t) = V_m \sin \omega t$

これは時間tによって電流や電圧の大きさが変わる
「瞬時値の公式」ともいえます

そして、交流電圧をグラフにしてみるとこんな感じになります！

この曲線は $v(t) = V_m \sin \omega t$

じゃーん！

おお…！

記号の意味を1つずつ確認してみると理解しやすいですよ〜

時間がt…ですよね
それでV_mはさっきやった最大値…
んで………

？？？？

36　第1章　電気数学とは？

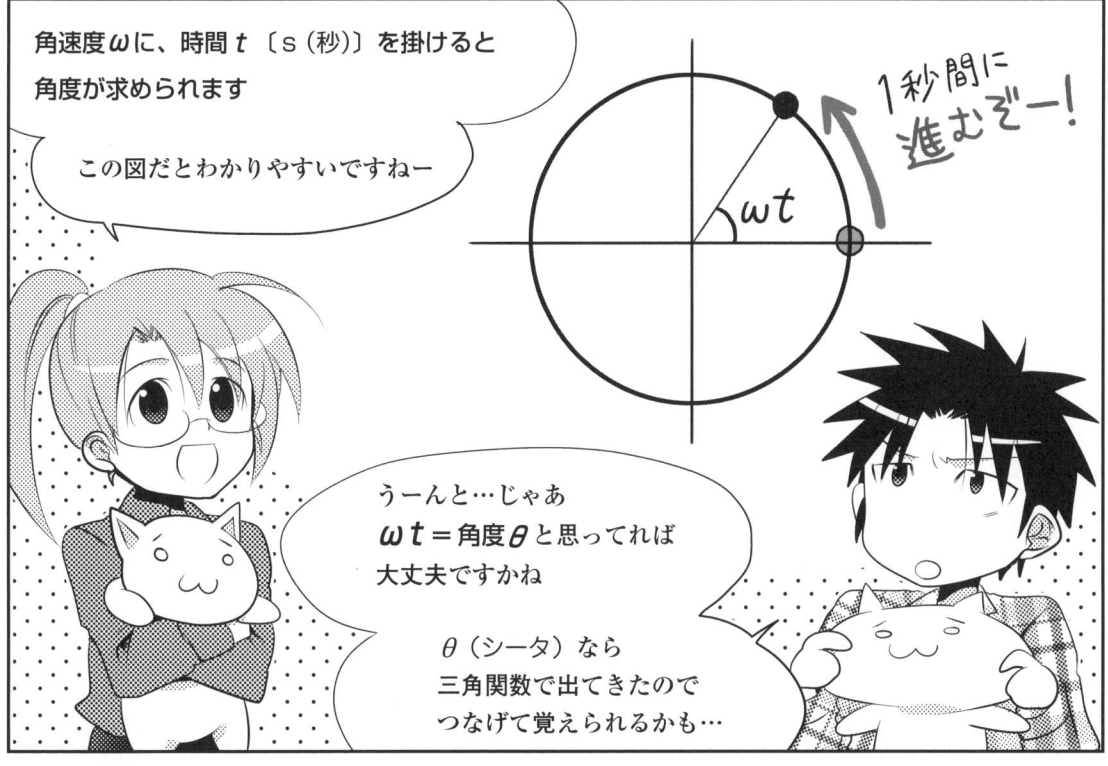

なんだこの…
猫の口みたいな
かわいい記号は…

にゃんっ

それは、ω（オメガ）
ですね！

ωは『角速度』といって
円周運動している点が
1秒間に進む角度を
表しています

角速度ωに、時間 t〔s（秒）〕を掛けると
角度が求められます

この図だとわかりやすいですねー

1秒間に
進むぞー！

うーんと…じゃあ
$\omega t =$ 角度θ と思ってれば
大丈夫ですかね

θ（シータ）なら
三角関数で出てきたので
つなげて覚えられるかも…

そうですねー
とりあえずは大丈夫です

ホントはωにはもっと
色々な意味があるので、
のちほどしっかり触れましょう
（詳しくはP.114参照）

はい！

37

3 電気数学に必要な数学は？

必要な数学の全体像

電気数学の学習では「電気数学の問題を解く」ことも大事です

うっ…
問題ですか！
問題解くのは苦手で…

ふふふ やっぱり
そういう反応ですよねー

でも、問題が解けるということは、電気と数学、両方の知識が身についている証しでもあります

スタンプラリーやチェックポイントだと思ってみてください

よくできました

解けるとうれしくてやみつきになりますよ～

…は、はぁ

後光が…

そんなわけで、この学習を通して計8つの問題をご用意しています

Q.1

う～ 前向きに頑張ります…

さて、その問題についてですが
電気数学の問題は大きく2つに分けられます
「**直流の問題**」と「**交流の問題**」です

そして、必要な数学の知識も異なります
まとめてみると、こんな感じです！

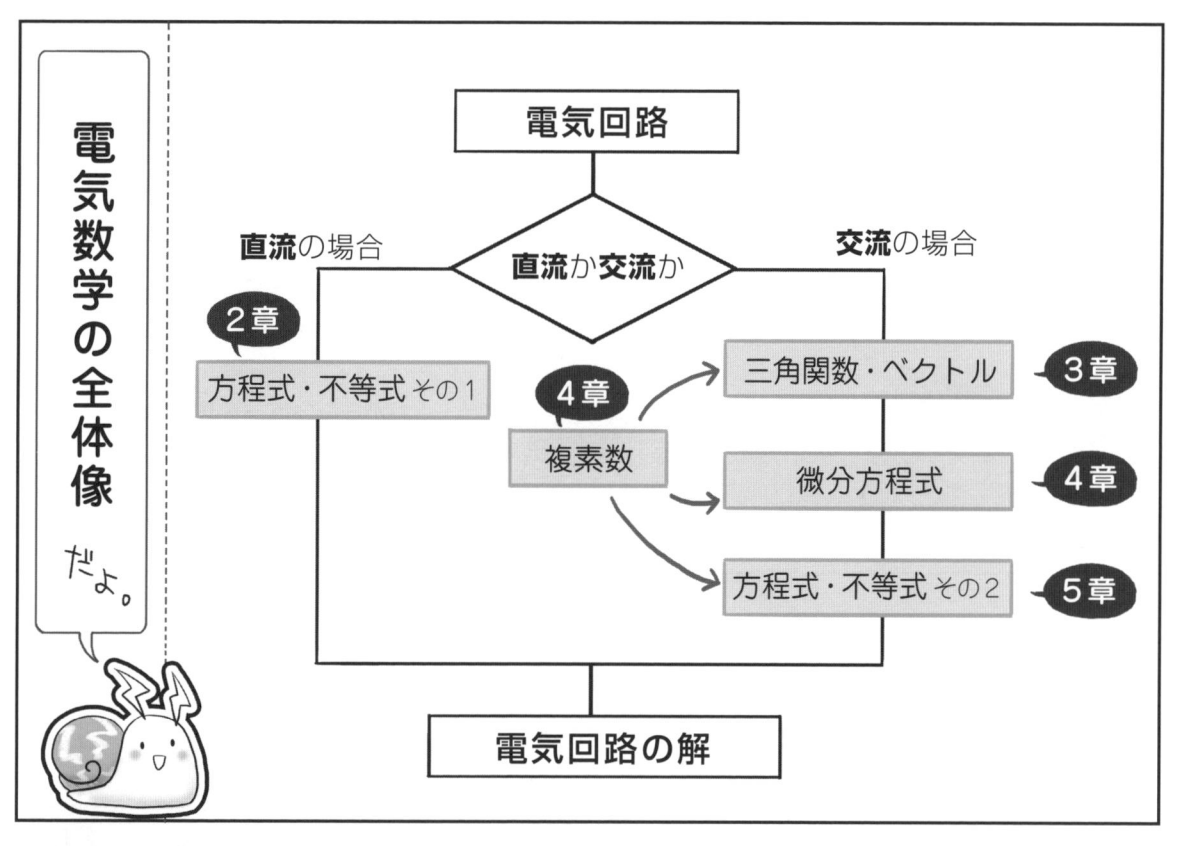

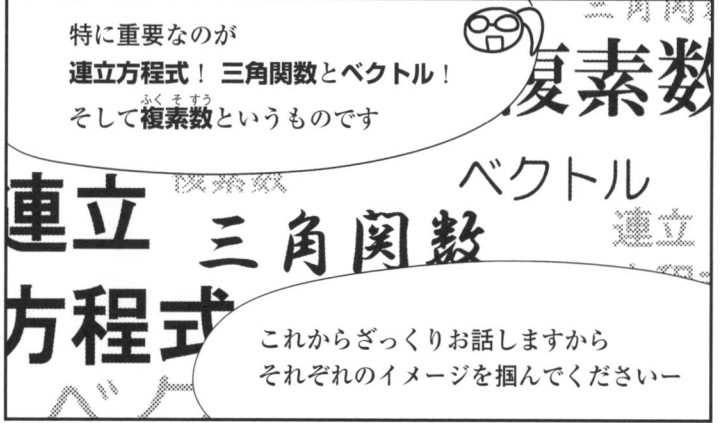

電気数学の全体像 だよ。

```
              電気回路
                │
                ▼
        ┌─────────────┐
直流の場合  │ 直流か交流か │  交流の場合
  ┌─────┤             ├─────┐
  │     └─────────────┘     │
  │ 2章                     ▼
  ▼                    ┌─────────┐   3章
┌──────────────┐       │三角関数・ベクトル│
│方程式・不等式 その1│      └─────────┘
└──────────────┘    4章      
  │          ┌─────┐    ┌─────────┐   4章
  │          │複素数│───▶│ 微分方程式 │
  │          └─────┘    └─────────┘
  │               │
  │               ▼     ┌─────────────┐   5章
  │               └───▶│方程式・不等式 その2│
  │                    └─────────────┘
  │                          │
  ▼                          ▼
        電気回路の解
```

特に重要なのが
連立方程式！三角関数とベクトル！
そして**複素数**というものです

連立方程式　三角関数　ベクトル　複素数

これからざっくりお話しますから
それぞれのイメージを掴んでくださいー

うわぁ…
色々ありますねぇ

39

連立方程式

さて青沼さん！
さっそく懐かしい
キーワードですが

連立方程式って
覚えてますか？

$$3x + y = 5$$
$$-x + 2y = -4$$

連立方程式！
懐かしいですね…

中学の頃から
やたら解かされて
きたような

イヤな思い出
ばっか

連立方程式を解けば x や y などの
「わからない数」の答えが出てきますね

わからない値——**未知数**を
求めるのにこの連立方程式は
欠かせないのです！

電流 I　抵抗 R　電圧 V

例えば
電気数学の場合は
電流 I　電圧 V　抵抗 R の数値が
未知数になったりします

今度は連立方程式で
これを求めちゃおうってわけですよ～！

ステキ～！！

平常心、平常心…！

三角関数

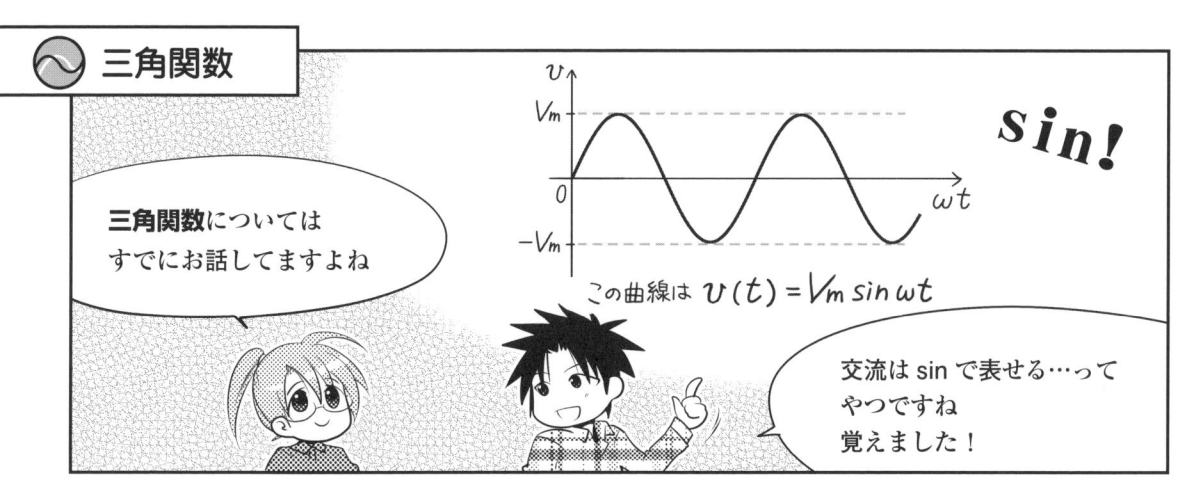

三角関数については
すでにお話してますよね

この曲線は $v(t) = V_m \sin \omega t$

sin!

交流は sin で表せる…って
やつですね
覚えました！

それがわかってれば
ひとまずOKです！
では次は**ベクトル**に行きましょう！

あ
ベクトル…
それならなんとか
わかります

ベクトルと位相

ですね！
大きさのみを表すものが、
スカラー
さらに方向も表せるのが、
ベクトルですね

すごいじゃないですか
青沼さん

ベクトル

スカラー

えーと…確かベクトルを使えば
「**大きさ（量）**」と「**方向**」を
表せるんですよね

こういう矢印の形で…

ははは…

※本書では、ベクトルを $\dot{A}$ 絶対値を $|\dot{A}|$ などと表記しています。

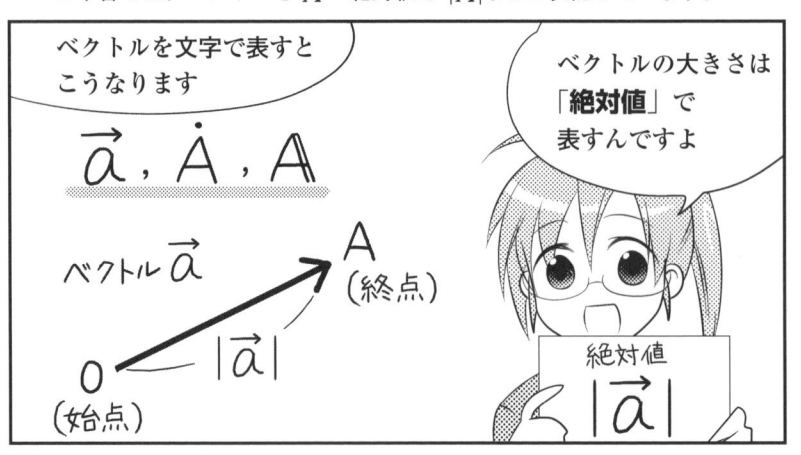

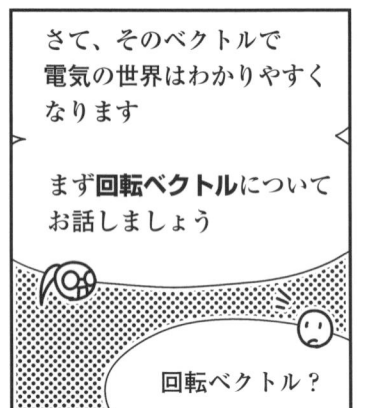

ベクトルを文字で表すとこうなります

$\vec{a}, \dot{A}, A$

ベクトル $\vec{a}$

O（始点）→ A（終点）
$|\vec{a}|$

ベクトルの大きさは「絶対値」で表すんですよ

絶対値 $|\vec{a}|$

さて、そのベクトルで電気の世界はわかりやすくなります

まず**回転ベクトル**についてお話しましょう

回転ベクトル？

さぁ！この図をご覧ください

ベクトルを xy 平面に置いて原点O(オー)を中心に回転させてみるとどうなります？

うーん…
ベクトルが回転しているということは…
ベクトルが指す**終点の1点**も**移動していきます**よね…

終点

これってどこかで見た気がしません？

確かに…って
あ！！

観覧車…円単位でsinを考えた時と同じですね

円運動だ！

正解ですー！

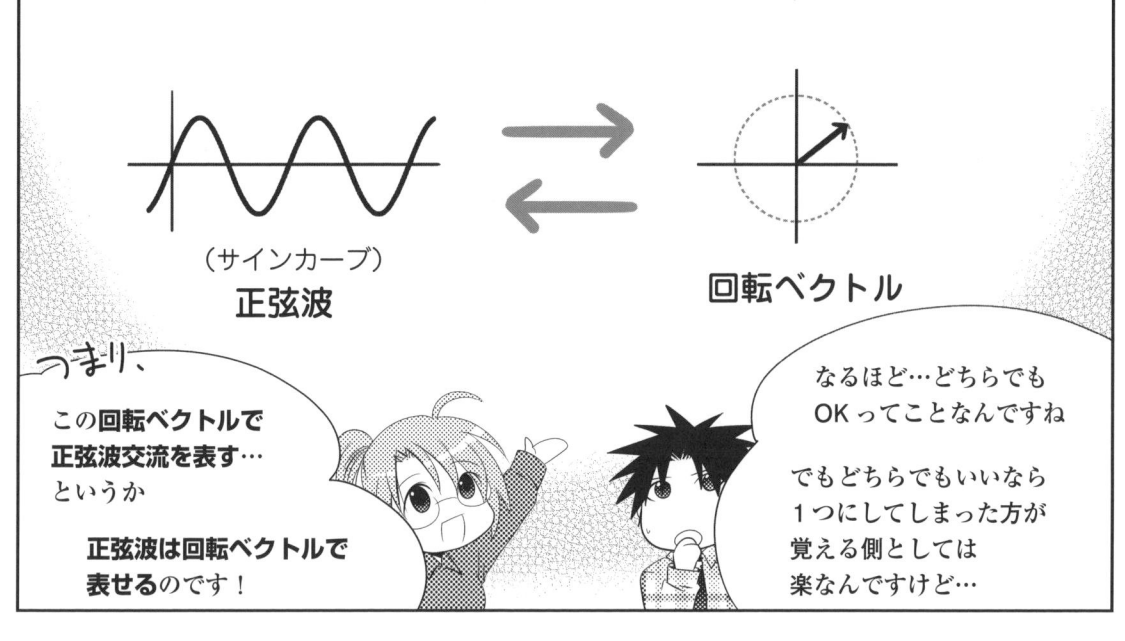

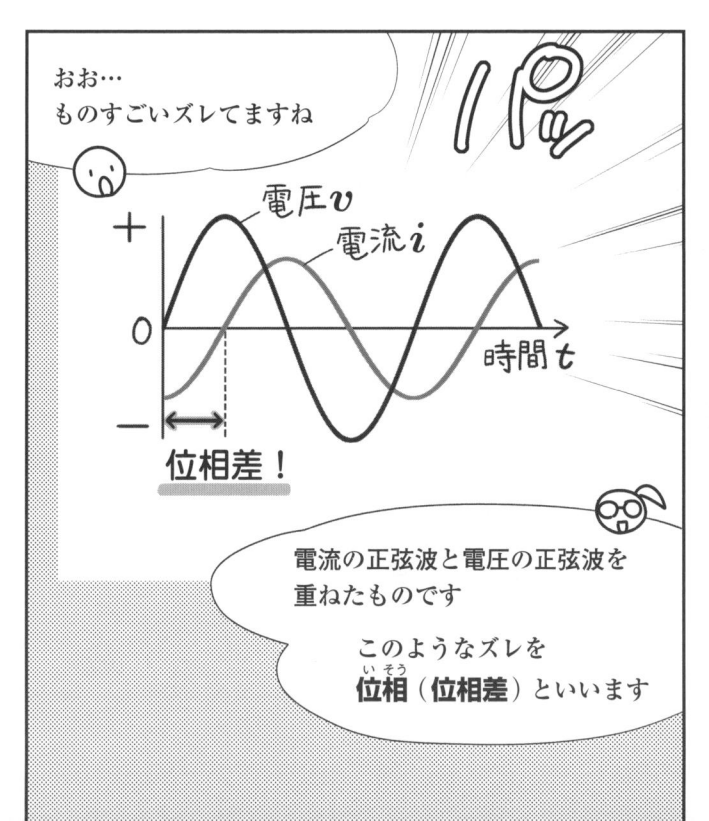

（サインカーブ）
正弦波　⇄　回転ベクトル

つまり、
この回転ベクトルで正弦波交流を表す…
というか
正弦波は回転ベクトルで表せるのです！

なるほど…どちらでもOKってことなんですね

でもどちらでもいいなら1つにしてしまった方が覚える側としては楽なんですけど…

もちろん無駄に2つあるわけじゃありません
正弦波交流を回転ベクトルとして扱うことで色々なメリットが生まれます

プロジェクター？

こちらを見てみてください！

交流の波形は電流と電圧の間でこういったズレ…位相が生じてしまうことがあり、またその位相差もさまざまです

私たちは、**位相**があり**最大値**もそれぞれ異なる複数の正弦波を解析しなければならないことがあるんです

おお…ものすごいズレてますね

パッ

電圧 v
電流 i
時間 t

位相差！

電流の正弦波と電圧の正弦波を重ねたものです
このようなズレを**位相**（位相差）といいます

うわ…それはややこしいですね〜…

43

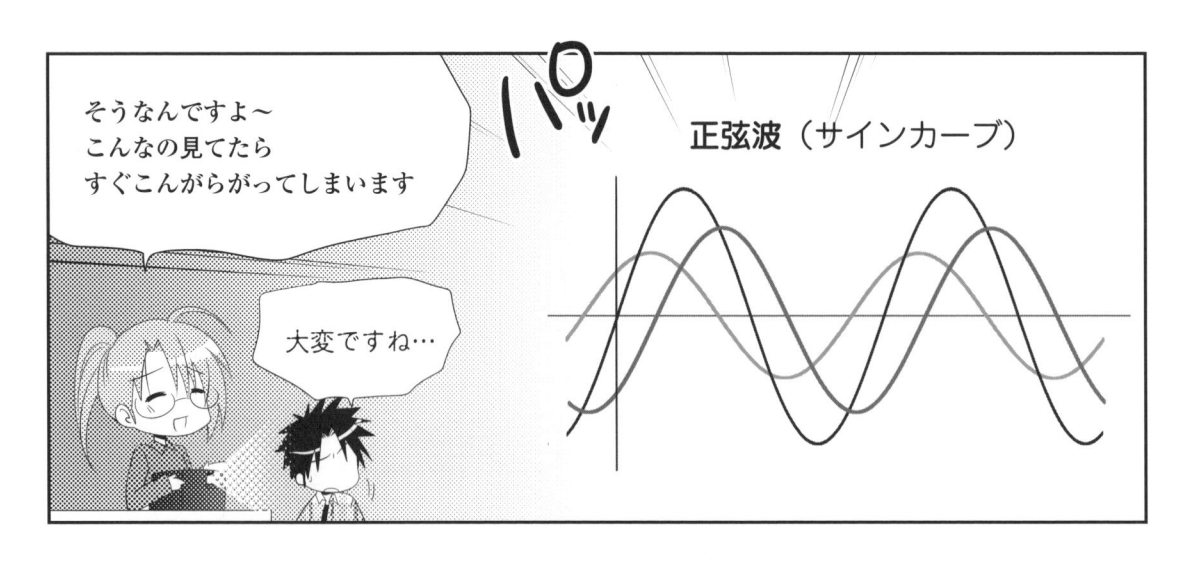

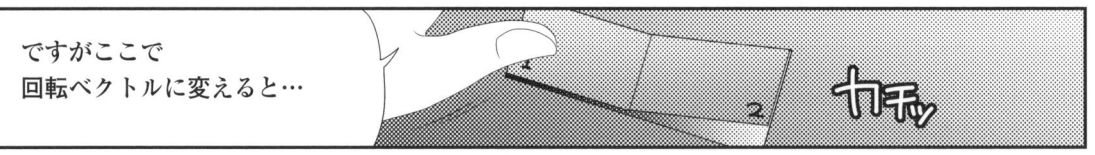

そうなんですよ〜 こんなの見てたら すぐこんがらがってしまいます 大変ですね…	**正弦波（サインカーブ）**

ですがここで回転ベクトルに変えると…

おおっ！ えらいスッキリしましたね！ でしょう？ ベクトルなら、 **ベクトル間の角度を 調べる**ことで簡単に 位相がわかるんですよ	**回転ベクトル** CHECK！ ベクトルの「大きさ」は、 電流や電圧の「最大値」と同じ になっています。

つまり**交流をベクトルに変換する**テクニックを覚えとくことで、俺たち自身が楽できるというわけですね

これは忘れちゃいけない…！

ベクトルは他にも重要な使い方があるのですが、それはのちほど！

虚数 i は想像上の数

ところで、青沼さん

6F セミナールーム

愛とは幻のようなものと言いますね…

ふぅ…

な、なんなんですか急に…

次は同じく幻のような存在
虚数 i（アイ）のお話です

虚数 i
$i^2 = -1$
$i = \sqrt{-1}$

これは「2乗したらマイナス1になる」と定義された数なんですよ

…2乗すると
マイナス1…！？

ちょっと想像しにくいですよねー

この i は Imaginary number の頭文字をとってまして
文字通り『**想像上の数**』という意味ですね

「虚数はどうして生まれたのか」などは後でじっくり説明しますので、とりあえず、そういうものがあるということだけわかって頂ければ

Imaginary

はい…
わかりました

※虚数について、詳しくは第4章で説明します。

複素数の基本

では虚数 i に触れたところで『複素数』のお話に入りましょう

青沼さんは複素数って言葉聞いたことありますか？

複素数ですか…初めて聞きます

そうですか…じゃ心して聞いてくださいね

ちょっと世知辛いお話ですから

はあ…

世知辛い…！？

さきほど話しましたように虚数とは、幻の…想像上の数字です

それに対し、実際に存在する数字の**実数**というものがあります

（※実数についてはP.54参照）

複素数とはこの想像上の数字――**虚数**と実際に存在する数字――**実数**が、**混ざった数**なのです

例えばここに虚数 i を使った $a+bi$ という形の数を作ってみましょう

複素数
$$a+bi$$
実数　虚数

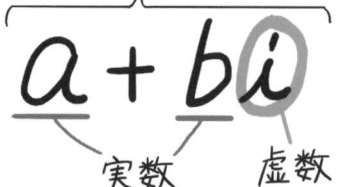

a や b には 2 とか 5 とか 7 とか 9 とか…そういった実数が入ります

これが**複素数**ですね

甘い幻想も苦い現実も混ざったのが人生…

複素数にはそう教えられている気がします…

いやいやいやいや

46　第1章　電気数学とは？

ここで注意しなきゃいけないのは
虚数についてです

なので電気の世界では
虚数単位が i（アイ）ではなく
j（ジェイ）になります！

電気の世界では
愛は幻じゃなくなるわけですね！

この虚数 i というのは数学上
このように定義されているのですが…
電気の世界では、i は交流電流を表すと
決まっていましたよね

そういえばそうでしたね…！

正体不明にして幻のジェイ…！
カッコいいじゃないか…！

というわけで、さっきの数も
$a+bi$ ではなく…
$a+jb$ という表記になります

a の部分を複素数の「実部（じつぶ）」
b の部分を複素数の「虚部（きょぶ）」
といいます

j が前にある方が、複雑な式を扱う際に便利です。
電気の世界では、複素数は $a+jb$ と覚えておきましょう。

$$a + jb$$
実部(Re) 虚部(Im)

実部は Re
虚部は Im
なんですね
…ってあれ？

虚部は虚数だから
Imaginary で Im…
だとしたら

対する実部の Re は
もしかして
Real（リアル）とか…？

その通りです！
ベクトルに続き
絶好調ですね～青沼さん

Imaginary
Real

実はそのベクトル、
この複素数とも
密接な関係にあります

結論から言うと、**複素数は
ベクトルとして表すことが出来るのです**

この複素数 $a+jb$ を
ベクトルとして表示して
みましょう！

複素ベクトルを書いてみよう

さあ、準備はいいですか？
今から複素数 $a+jb$ を使ってベクトルを書いてみますよー！

STEP1　$a+jb$ を式にしよう。

まず、仮に z を使って、$z=a+jb$ という式にしてみます。

ふむふむ。
この式は実数と虚数が混ざってるから、この式ももちろん**複素数**ですね。

STEP2　複素平面（ガウス平面）を用意して、点を考えよう。

複素数をベクトルとして表示するためには、**複素平面**というステージが必要です。
複素平面とは、横軸が **実軸（実数軸）**、縦軸が **虚軸（虚数軸）** になっている xy 平面のことです。
要するに、横軸が Re（実部）、縦軸が Im（虚部）になっているんですよ。

へぇー…！
だったら、$a+jb$ の「a と b の値」を、それぞれ軸上にとることが出来ますね。

その通りです！ つまり、**複素数は、複素平面上の１つの点（a,b）と考える**ことが出来るのです。

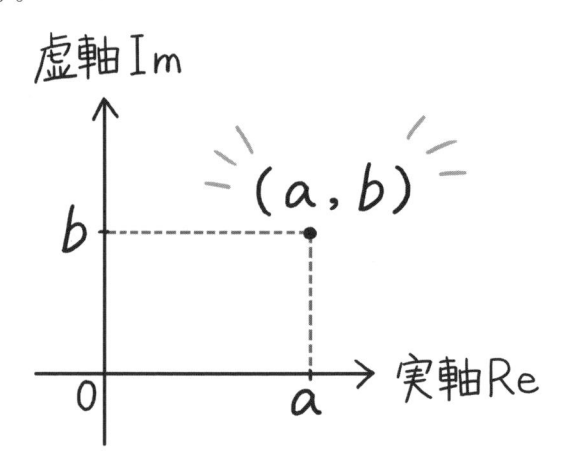

STEP3　　ベクトルを、複素平面上に書いてみよう。

そして、原点 $\overset{オー}{O}$ からその１点を指すベクトルを書いてみましょう！
これが『**複素ベクトル**』です、じゃーん！

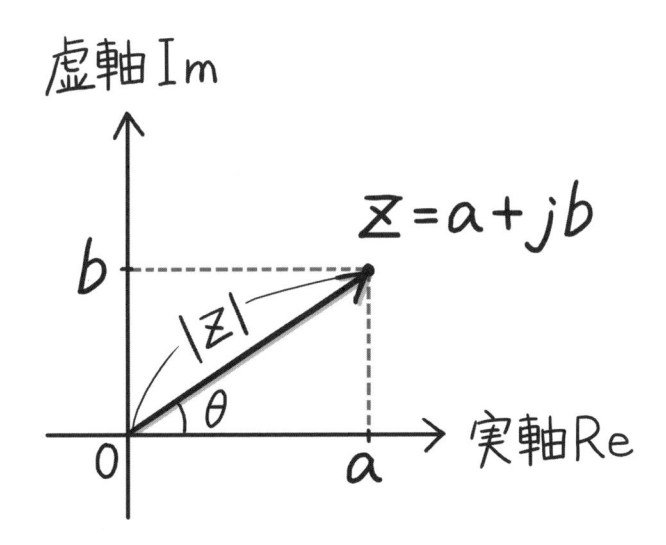

虚軸Im

$z = a + jb$

複素数をベクトルとして表示した様子

おおおーー！　確かに、ベクトルが表現できますね。
このベクトルを見れば、角度（方向を表せる）と大きさがハッキリわかります。

このベクトルが、そのまま $z = a + jb$ として、対応しているわけです！
この図の意味をしっかり覚えてくださいね。

複素数とベクトルの関係

と、いうわけで複素数からベクトルを描くことが出来ましたね

おー…

いままでやったことを応用していけばなんとかなるもんですねー…

つまり、**複素数はベクトルとして表示できる！**
逆に言うと、**複素数はベクトルを数式表現したもの！**
ってことでいいんですよね？

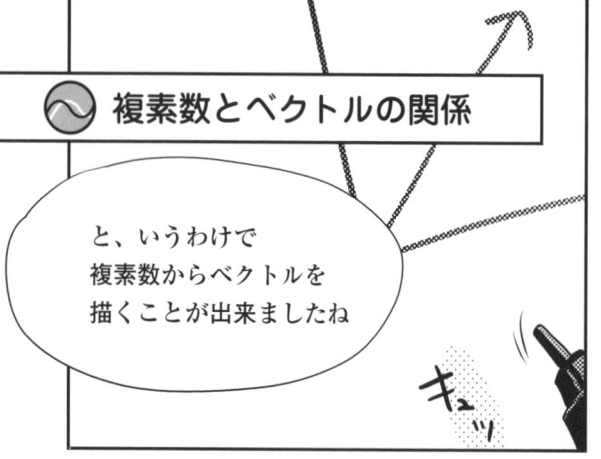

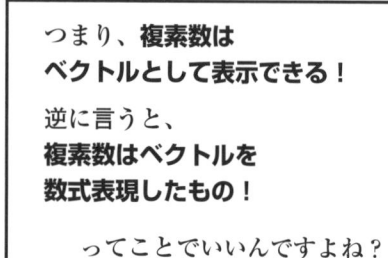

そうですね、素晴らしいです！
もちろんこのベクトルも回転させて**回転ベクトルにする**ことが出来ますよ

これまでの話をまとめるとこういうことになりますねー！

バラバラで覚えるとなると大変だけどこうして相互関係と思えばかなり覚えやすいです

$\dot{z} = a + jb$

三角関数
（交流は三角関数の正弦波）
⇄
回転ベクトル
⇄
複素数
（ベクトル表示可能 ベクトルの数式表現）

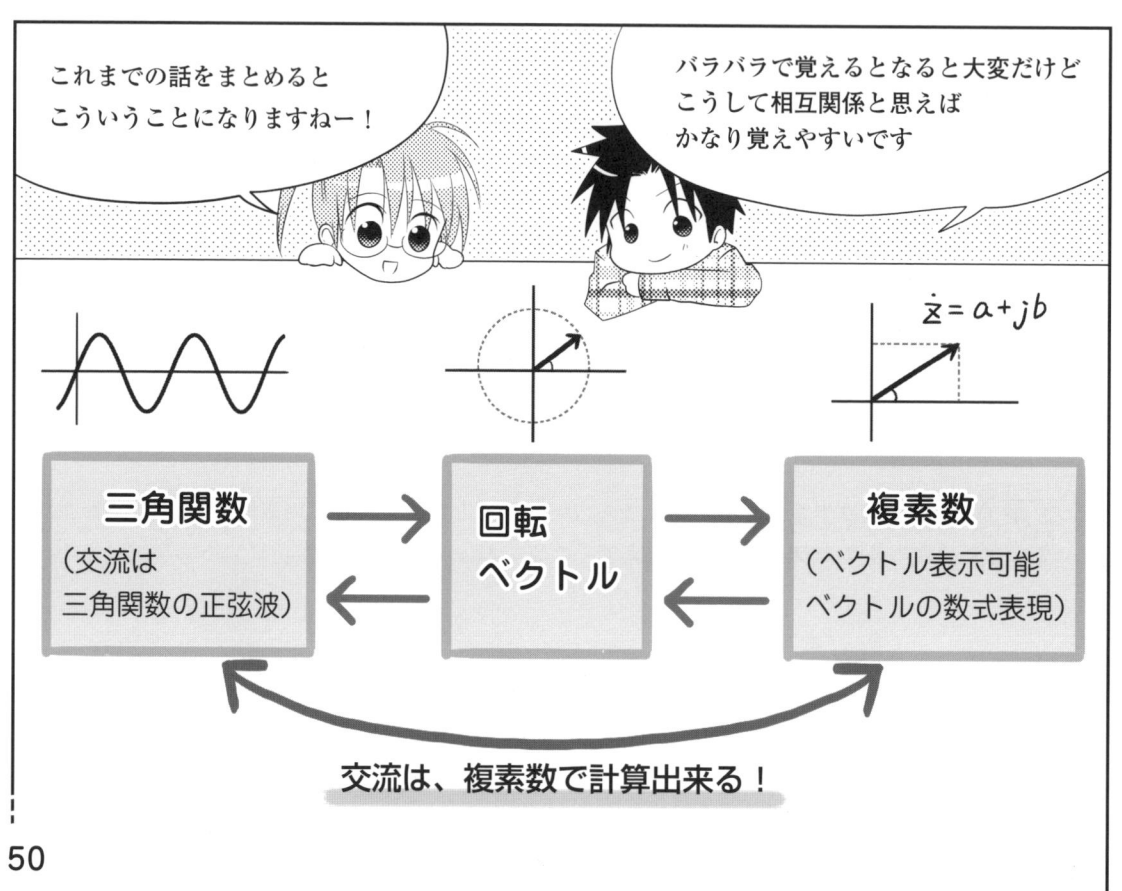

交流は、複素数で計算出来る！

そういえば、電気数学は『電気を深く知るため』に数学というツールを用いる学問だって言ってましたね

ベクトルや複素数もそういったツールってことなんですか？

そうですねー
まさしく交流は、ベクトルや複素数で表すことでわかりやすくなったり便利に計算出来たりします

本来なら難しい微分・積分を行ったり微分方程式で計算するものを避けられるので、とっても楽ですよ

へー…

複素数

微分方程式

道が選べるなら…
楽な道の方がいいですもんね

ふふ
そういうことです

あっ…いけない
閉館時間すぎてます！

え！？

すみません
エレベーターがない施設で…！

道が選べないのも困りものですね…！

はやく出ないとおこられる

キーン コーン
カーン コーン
は〜…
長い時間お疲れさまでした！
キーン コーン
どうしました？
いや…
大丈夫です…
も、もしかして
わかりにくかったですか
もうテメーなんかに
教わらねーよって
ことですか！？
いやっ…
そうじゃなくて
じゃあ…もしかして
私なんかおかしいですか！？
実は今日一日
ファスナー開いてたとか！？
それは確かに指摘しにく…
ち…ちがいますよ！
大丈夫です！
あわあわ
あわ
違います…
ただ…
こんな…丁寧に
教えてもらって
気も使って
もらってるのに
気のきいた礼も
浮かばない自分が
情けないんだよ…
こんなんだから俺…
友達いないんだ…
はー…マジ
人付き合い苦手だ…
はぁ…
あぁっ！

えっ…

大事なもの…！？

私としたことが大事なモノを教え忘れてました…すみません！

田川(でんかわ)電力のマスコットキャラ

デンくんです！！！

しっかり覚えといてくださいね！

この人と付き合ってたら…もしかしたらちょっとは人付き合いが上手くなれる…かな…？

…で なんて名前でしたっけ…

デンくんですよ！！！

…はい

ものすごいマイペースな人なのはわかった

～数の分類。実数ってなんだろう？～

虚数を勉強したとき、虚数に対するものとして「**実数**」というものが出てきましたね。
虚数は想像上の数。それに対して、実数は実在する数です。
では、実在する数には、どんなものがあるのでしょう？
数についてまとめてみたのが、この表です。

複素数
- $a+bi$ という形の数（電気の世界では、$a+jb$）
  ※ a と b は実数
  ※ i は、虚数単位

実数

有理数★		無理数
整数	整数でない有理数	・π や $\sqrt{2}$ のような循環しない無限小数
・正の整数 ・0 ・負の整数	・0.3 のような有限小数 ・0.333… のような循環小数	

純虚数
- bi という形の数
  ※ b は0でない実数

★ $\dfrac{q}{p}$ という形（※ p は0でない整数、q は整数）で表現可能な数を有理数といいます。
整数は有理数の一種です。

高橋 信 著『マンガでわかる線形代数』オーム社（2008）より引用

数学的にいうと、**実数**とは「無理数と有理数を合わせたもの」です。
そして、その実数と虚数が混ざったものが**複素数**なのです。

数にも色々な種類があるのがわかりますねー。

第2章

方程式・不等式で解ける電気回路
（その1、直流回路）

1 問題を解くために知っておきたい事柄

ぱた
ぱた
お待たせしました！青沼さんっ
いや…
大丈夫です…そんなに待ってないんで
そうですかーよかった
復讐…！
ビクッ
では早速はじめましょうか
まずは昨日の復習からですね！
トントン
あっ…は、はい
どうしました青沼さん！
まさか…覚えてない…！？
いや…
このキュートなマスコットキャラの名前は
いったい何だったでしょうか！
どんっ
そうだ…この人はこういう人だった…！

キルヒホッフ第1法則

さて早速ですが
今日はとーっても大事な
法則を2つお教えします

2つもですか？

俺、法則とか
覚えるの苦手なんですよ…

大丈夫ですよ
青沼さん

この2つの
法則はとても
簡単ですから～

リラックスして
想像してみましょう

この写真から
小川のせせらぎを想像
してください…

はい…

この川は
Aの川とBの川が流れ込んで
Cの川になっていきます

この時AとBを合計した水の量は
Cの水の量と同じですよね？

そりゃ同じでしょう…
途中でよそに流れそうな
道もないし

そうですね〜
つまり「流れ込む水の量」と「流れ出す水の量」が同じということですから…

どこか1ヶ所の数値がわからなくとも求められるということですね

ああ…なるほど

確かにそうです

わかりやすく言っちゃうとこういうことです

？？

だから簡単と言ったでしょう？

これが法則の1つ
『キルヒホッフの第1法則』
です

でもこんな計算小学生レベルですよね…

簡単すぎませんか

むむ…

このキルヒホッフの第1法則は
『電流保存の法則』ともよばれるものなんです

式で表すとこうなりますね〜

あんまり簡単で拍子抜けですよ…

キルヒホッフの第1法則（電流保存の法則）

回路上のとある点（A点）に
流れ込んだ電流と、
そこから流れ出す電流の合計は等しい

$$I_1 + I_2 = I_3 + I_4$$

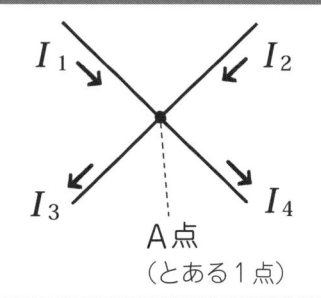

A点
（とある1点）

59

電圧降下ってなんだろう？

さて、ここからちょっと気をつけて欲しいことがあります。
電圧について、今まで全て電圧 V で説明してきましたが、今後は『**電源電圧 E**』と『**電圧降下 V**』とで、使い分けることがあるのです。

見慣れない E が出てきても、電圧のことなんですね。了解です！
…でも、その「**電圧降下**」ってなんですか？　初めて聞いたんですけど。

まず、この図を見てください。電圧降下も、水に例えてお話しましょう。

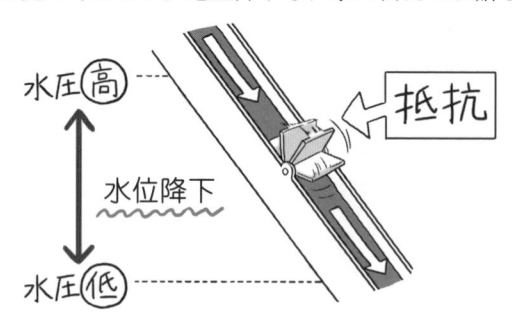

水車を回すためには、水位差（＝電気に例えると電圧）が必要です。
そして、水車の回す前と、回した後では、水位に変化が起きています。

あ、もしかして電気の世界でもこんなふうに、電圧が変わるってことですか？
抵抗の前の方が電圧が高くて、抵抗の後が電圧が低くなったり…。

そうです！　絵にしてみると、こんな感じですね〜。

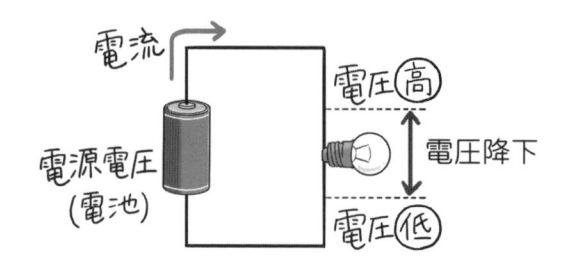

ふむふむ。抵抗に電流が流れると、抵抗の前後で電圧降下が起きるんですね。

この電圧降下 V は、オームの法則（P.22 参照）により、$V=RI$ で求められます。
電圧降下＝抵抗×電流ですね。

そんなわけで、電源電圧 E、電圧降下 V とすると、こんな回路図になります。

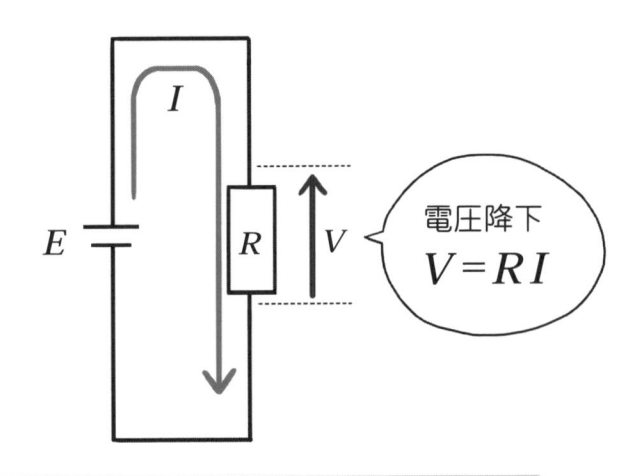

電圧降下 $V=RI$

電流が流れ、電圧降下が起きている様子

んんん…？ ま、待ってください。
電圧降下の矢印はどうして、**電流と逆向き**なんですか！？

電圧の矢印は、電圧が低いほうから高いほうに書いているんです。

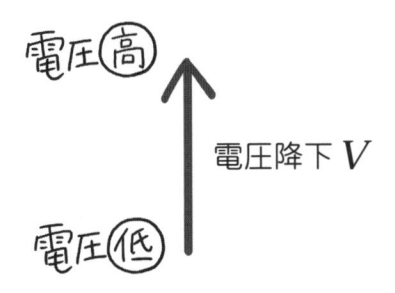

抵抗を通った後の電圧のほうが、電圧が低いので、自然と電流とは逆向きになるんですよ。ここ、大事なことなのでちゃんと覚えておいてくださいね～。

ほおおお。納得です。

キルヒホッフ第2法則

さて、第1があるからには第2法則もあります

さきほどは「電流保存の法則」でしたが…今回はなんでしょう？

電流ときたら…電圧ですか？

昨日からやたら電流と電圧はセットで出てきますよね

正解です青沼さん！

キルヒホッフの第2法則は『電圧保存の法則』なんですよ

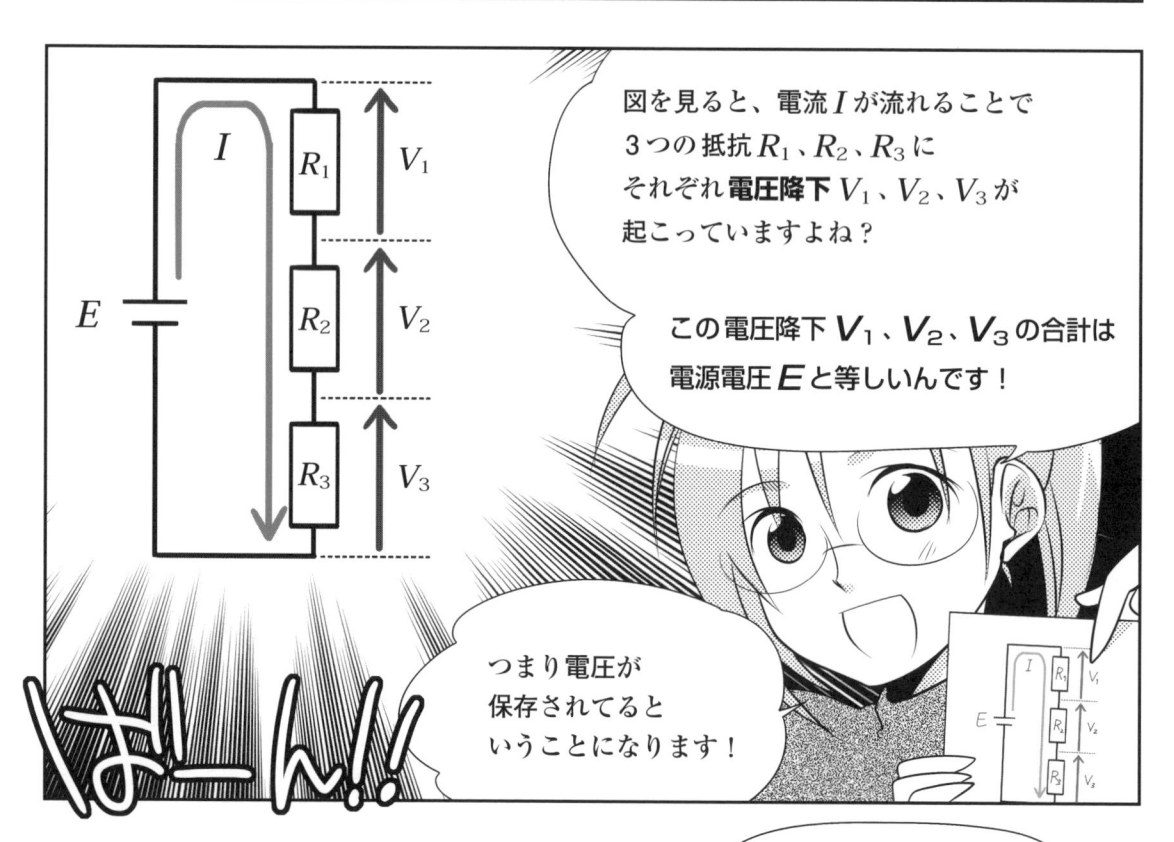

図を見ると、電流 I が流れることで3つの抵抗 R_1、R_2、R_3 にそれぞれ**電圧降下** V_1、V_2、V_3 が起こっていますよね？

この電圧降下 V_1、V_2、V_3 の合計は電源電圧 E と等しいんです！

つまり電圧が保存されてるということになります！

ばーん!!

$$V_1 + V_2 + V_3 = E \ [V]$$

式にするとこのようになります

電圧が保存されている〜
って感じになりますよね！
どうですか青沼さんっ！

62　第2章　方程式・不等式で解ける電気回路（直流回路）

ガーンッ

まさかの無理解！！

うぅ…ごめんなさい
私の実力不足ですね

代わりにボクが
説明するよ♪

芸達者な人だな…！

じゃあボクが好きな
お水に例えてみよう

お家の二階から
水があふれちゃった状態を
想像してみて♪
一階はどうなっちゃう〜？

うーんと…

一階……
そうだな

階段から水が
流れていくだろうなぁ

そう、階段だよ

水は階段を下るごとに
水位差（＝地面からの高さ）は
減っていくね〜♪

だけど階段1段1段の水位差（高さ）を
ぜーんぶ足すと
元々の水位差（高さ）と
同じになったね〜♪

この図をさっきの図と比べてみると
なんか似てないかな〜？

ざぁ

E、V_1、V_2、V_3

あぁ…なるほど
確かに似てるかも

でもちょっと
ひっかかるんだよなぁ

I、E、R_1、V_1、R_2、V_2、R_3、V_3

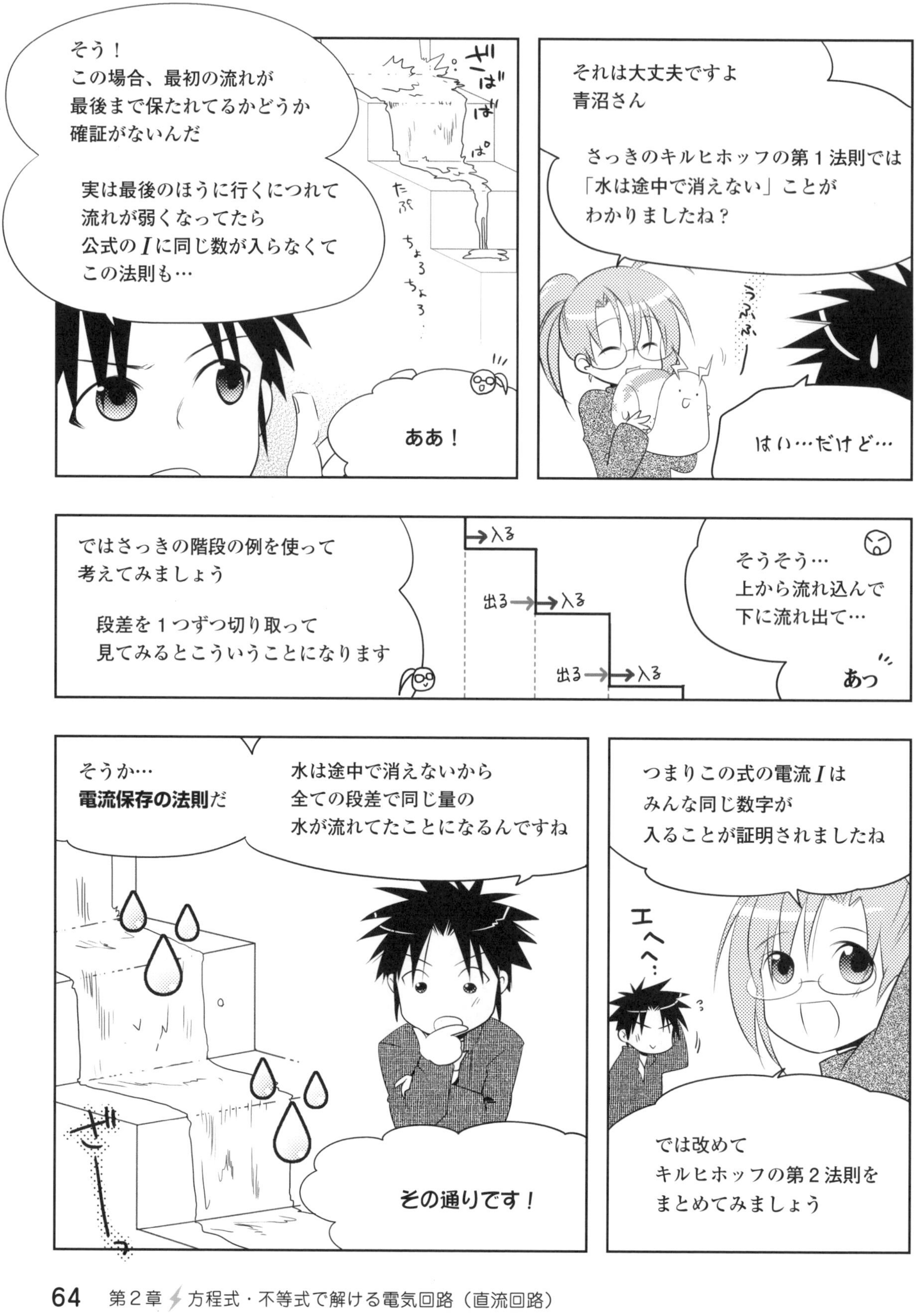
そう！
この場合、最初の流れが
最後まで保たれてるかどうか
確証がないんだ
実は最後のほうに行くにつれて
流れが弱くなってたら
公式のIに同じ数が入らなくて
この法則も…
ざばばぱ
たぷ
ちょろちょろ
ああ！
それは大丈夫ですよ
青沼さん
さっきのキルヒホッフの第１法則では
「水は途中で消えない」ことが
わかりましたね？
うふふー
はい…だけど…
ではさっきの階段の例を使って
考えてみましょう
段差を１つずつ切り取って
見てみるとこういうことになります
入る
出る
入る
出る
入る
そうそう…
上から流れ込んで
下に流れ出て…
あっ
そうか…
電流保存の法則だ
水は途中で消えないから
全ての段差で同じ量の
水が流れてたことになるんですね
その通りです！
つまりこの式の電流Iは
みんな同じ数字が
入ることが証明されましたね
エへへ…
では改めて
キルヒホッフの第２法則を
まとめてみましょう

キルヒホッフの第2法則（電圧保存の法則）

ある閉ループにおいて、
「電圧降下の合計」と
「電源電圧の合計」は等しい

$$E = V_1 + V_2 + V_3$$

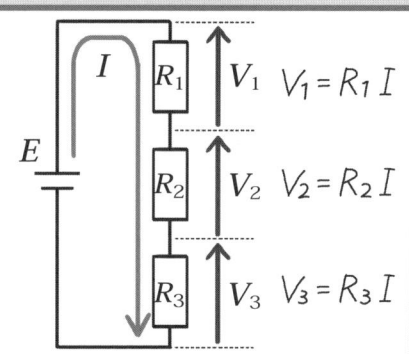

$V_1 = R_1 I$
$V_2 = R_2 I$
$V_3 = R_3 I$

問題を解く際には
**これらキルヒホッフの法則2つと
オームの法則**をよく使います
（オームの法則はP.22参照）

しっかり覚えましょうねー！

うんうん…
かなり噛み砕いて理解したので
もう忘れませんよ
これでキルヒホッフの法則は
ばっちりですね！

え まだ終わりじゃないですよ？

！！！？

あ、いや
終わりは終わり
なんですけど…
ちょっと追加で…

…これからお話しするのは
この法則を使いこなすためのコツ…

「**キルヒホッフの法則は
合計がゼロになる法則**」と
いうお話なんです…！

もうこれだけは…
これだけはお教え
しときたくてっ…
この時を今か今かと
ずっと…！！

そ…そうなんですか……！

キルヒホッフ第1法則は、合計ゼロの法則！

ではではさっそく、『**合計ゼロの法則**』についてお話しましょう。
まず、**第1法則**について。こちらの説明は、簡単ですよー。

$$I_1 + I_2 = I_3 + I_4$$ この式の、右辺を左辺に移項すると…

$$I_1 + I_2 - I_3 - I_4 = 0$$ となりますよね。

あ！ 確かにゼロになりました。

つまり、『回路上のとある点（A点）の電流の総合計は、ゼロになる』
と理解すると、便利なんですよ。
プラスとマイナスの符号に気をつけてくださいね〜。

- A点に入ってくる
    I_1, I_2 には**プラス**の符号

- A点から出て行く
    I_3, I_4 には**マイナス**の符号

$$I_1 + I_2 - I_3 - I_4 = 0$$

A点
（とある1点）

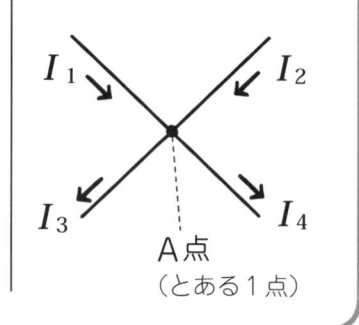

なるほど。電流が流れる方向をしっかり意識しろってことですね。
なんとなく**合計ゼロ！**って格好いいです。

ええ…なんか、こう、虚無感って感じですよね…。

（ここでネガティブオーラとは…っ！！）

キルヒホッフ第2法則は、合計ゼロの法則！

さて気を取り直して、お次は**第2法則**についてですー。
さきほど、**ある閉ループにおいて**「電圧降下の合計」と「電源電圧の合計」は等しいと説明しました。

……でも、考えてみてください。
閉ループの中に、電源電圧が含まれていないときには、どうします？

ええ？？ そんなこと考えたこともなかったです…。

例えば下の回路図では、閉ループは最大7つ考えられます。
しかし、そのうち3つの閉ループは、どれも電源電圧には繋がっていません…。
こんなとき、どうしましょう？

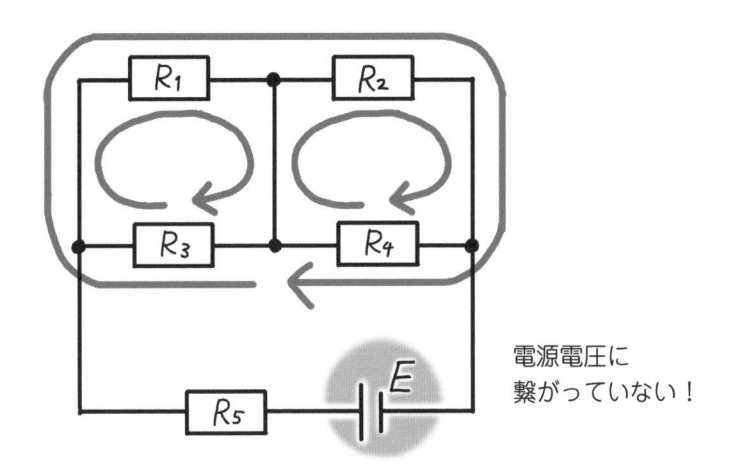

電源電圧に
繋がっていない！

…あ、諦める？

ブー！ 残念。実は、こんな場合にも第2法則は使えちゃいます。
『**ある閉ループにおいて電圧降下の合計は、ゼロである**』が成り立つのです。

え…？ これもゼロになっちゃうんですか？

はい！ ここでも重要なのは、**プラスとマイナスの符号**の付け方です。
どのように符号を付けたらいいのか、これからお話しますね〜。

まずは、「図a 電流の方向」に注目してください。このように電流が流れると…
自然と電圧降下 V は「図b 電圧降下の方向」のようになりますよねー。

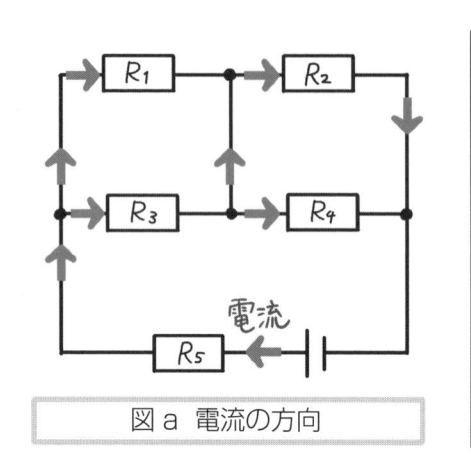

|図a 電流の方向|図b 電圧降下の方向|

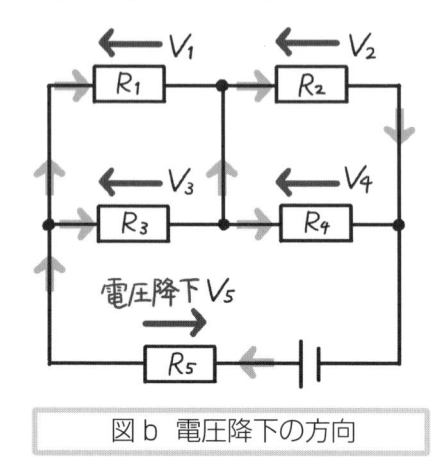

はい。電流と電圧降下の関係は、前に習った通りです（P.61 参照）。

次に、この電圧降下 V の矢印と、さっきの大きな閉ループに注目しましょう。
閉ループを辿って考えてみてください。何か気付きませんか？

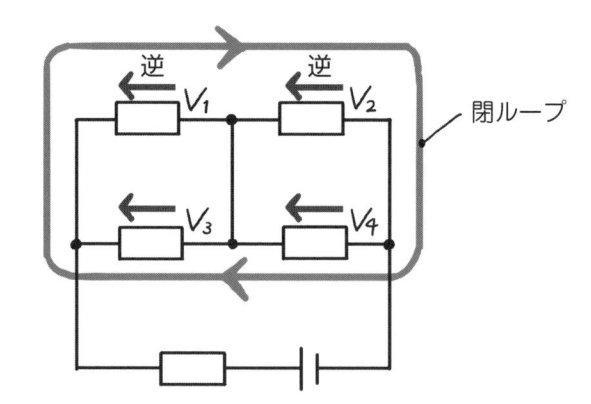

あっ、上の2つの電圧降下 V は、閉ループの矢印の方向と**逆向き**です！

そうですね。こんなときには、**マイナスの符号**をつけてあげればいいのです。
つまり、この場合、

$$-V_1 - V_2 + V_3 + V_4 = 0$$

が成り立ちます。

ちなみに、閉ループを逆にとっても、

$$+V_1 + V_2 - V_3 - V_4 = 0$$

となり、ちゃんと成り立つんですよ。

🧒 へええぇ。なんかちょっと不思議だ…。

👧 そもそも、電源電圧がある場合だって、合計ゼロの法則は成り立っているのです。
電源電圧 E の電圧を矢印で示して、考えてみましょう。

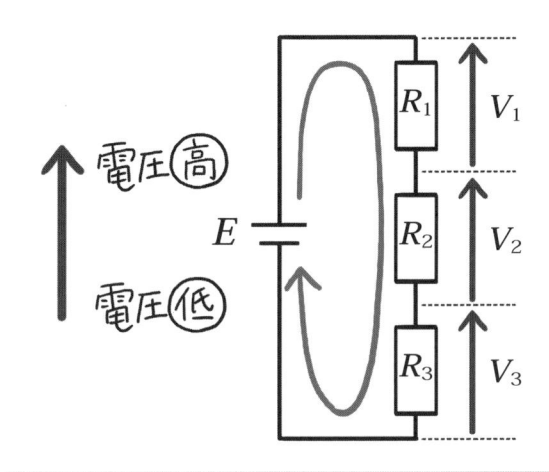

電源電圧、電圧降下、閉ループの矢印の様子

閉ループを辿って考えると、
$$-V_1 - V_2 - V_3 + E = 0$$
になっているのが、わかりますか？

ちなみに、閉ループの向きが逆だと、
$$+V_1 + V_2 + V_3 - E = 0$$
となります。

🧒 あぁ！ それって、最初に習った第2法則の式
$$V_1 + V_2 + V_3 = E$$
の E を左辺に、移動させただけですね！

👧 そうなんです。今までお話したことは、実は全て、当たり前のことなんですー。
でも、これらのことを一回理解しておかないと、実際に問題を解くときに、ちょっと戸惑ってしまうと思うんですよね。

🧒 ふむふむ、わかりました！
キルヒホッフの法則は、言い換えると**合計ゼロになる法則！**
第2法則は、閉ループに電源電圧がなくても使える法則なんですね。

合成抵抗

電気数学の問題を解くために、ぜひ覚えておきたいのが『**合成抵抗**』です。
合成抵抗とは、**複数の抵抗を1つにまとめる**ことなんです。
これによって、計算がとっても楽になります！

ラク…！ それはお得ですね。

はい。そのお得な合成抵抗の計算方法は、抵抗の接続が**直列**か**並列**かによって異なります。（直列と並列については P.23 参照）
『**直列**』**の合成抵抗**は、このように合計していくだけです。

直列

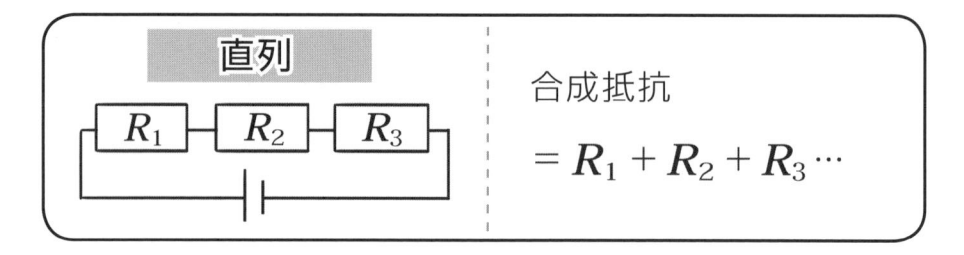

合成抵抗 $= R_1 + R_2 + R_3 \cdots$

ほほー。これは簡単ですね。

『**並列**』**の合成抵抗**は、ちょっとややこしいです。

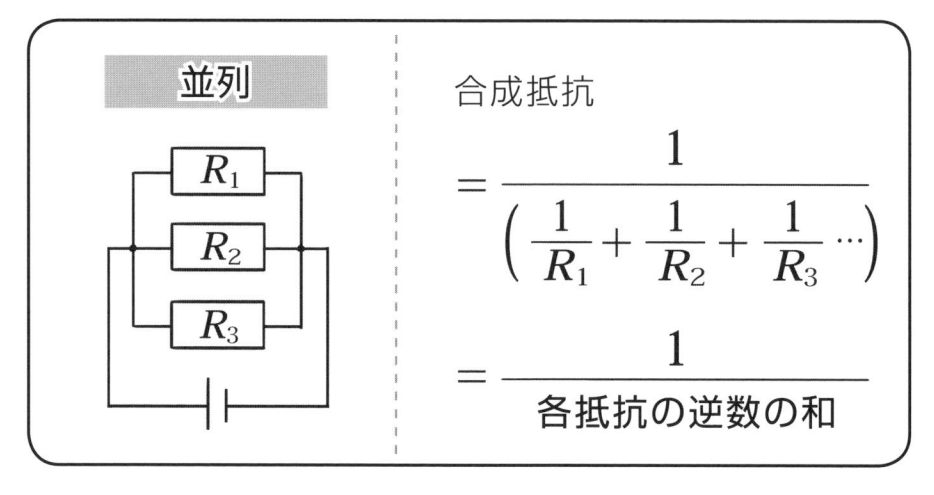

並列

$$\text{合成抵抗} = \frac{1}{\left(\dfrac{1}{R_1} + \dfrac{1}{R_2} + \dfrac{1}{R_3} \cdots\right)} = \frac{1}{\text{各抵抗の逆数の和}}$$

うーん。確かに面倒そうだ…。

でも、**並列接続で抵抗が2つだけのときに使える、便利な公式**もあります。
『**和分の積**』と覚えてください。

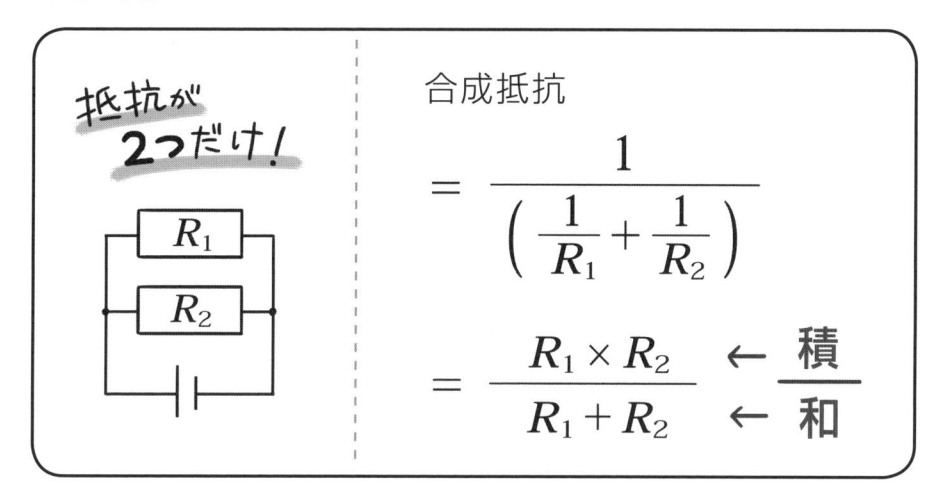

抵抗が **2つだけ!**

合成抵抗

$$= \frac{1}{\left(\frac{1}{R_1} + \frac{1}{R_2}\right)}$$

$$= \frac{R_1 \times R_2}{R_1 + R_2} \quad \leftarrow \frac{積}{和}$$

ふむふむ。つまり、回路をよく見て、計算方法を使い分けろってことですね。

接続は？
- 直列 → 単純に合計!
- 並列 → 抵抗の数は？
  - 2つ → 和分の積!
  - 3つ以上 → $\dfrac{1}{各抵抗の逆数の和}$

それでは、この後問題に初挑戦します！
オームの法則と
キルヒホッフの法則と
合成抵抗をしっかり覚えて
やってみましょうー

うぅ 不安だ…

Q 問題　直流電源と抵抗を、それぞれまとめてみよう！

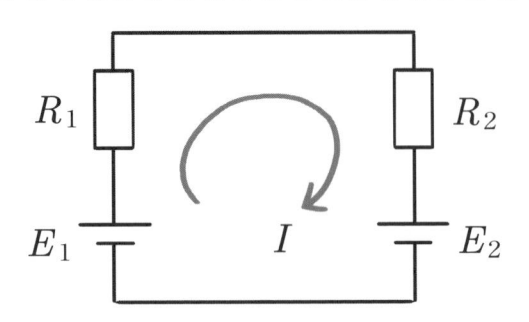

上図に示すような回路において流れる電流 I を求めよ。
なお、$E_1 = 4.5\,[\text{V}]$，$E_2 = 1.5\,[\text{V}]$，$R_1 = 2\,[\Omega]$，$R_2 = 1\,[\Omega]$ とする。

考え方

さあ、行きますよー！
問題を解く際に、まずチェックするのは電源電圧。（**直流か交流か**）
抵抗の接続なども大事ですねー。（**直列か並列か**）
今回の問題では、電流の方向は決定していますが、**電流の方向**を自分で仮に設定したり、計算のために辿る閉ループを書き込むこともあります。

ん…？
電流の方向を、自分で仮に設定ってどういうことですか？

直流は通常、プラスからマイナスへ電流が流れますが、
交流は常に、右回り左回りと方向が変わっていますよね（P.33 参照）
どちら回りでもいいですが、とにかく最初に方向を決めて欲しいのです。

さてさて、まずは２つの直流電源のチェックです。
何か気付くことはありませんか？

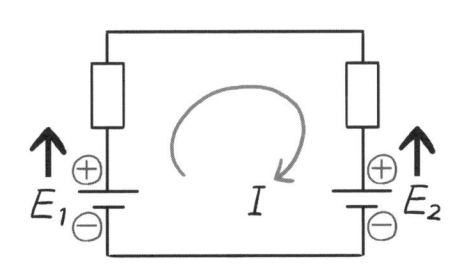

あ！ E_1 の直流電源と E_2 の直流電源は、方向が向かい合ってます。
ってことは、この２つの電源、打ち消しあっちゃうんじゃ…

その通りです！ **決定している電流の方向に、逆向き**なのが E_2 ですから
E_2 にマイナスをつけましょう。
つまり、$E_1 - E_2$ が、２つの直流電源をまとめたものと言えるのです。

なるほど…！ そういえば、抵抗もまとめられるんでしたよね。
２つの抵抗は直列だから、合成抵抗＝ $R_1 + R_2$ になります！

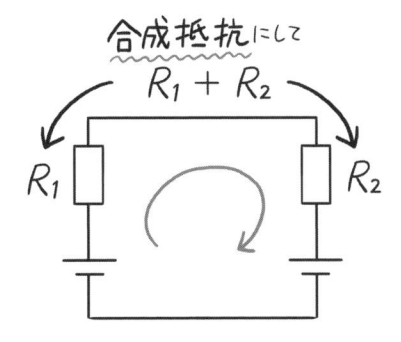

合成抵抗にして
$R_1 + R_2$

これで**直流電源も抵抗も、それぞれ１つにまとめる**ことが出来ました。
ここで、**キルヒホッフの第２法則**を使ってみると…
電源電圧 $(E_1 - E_2)$ ＝抵抗 $(R_1 + R_2)$ ×電流 I となるのです。

あとは**方程式**を整理して、最後に数字を代入すれば解けます。
電気数学の問題を解く「考え方」を身につけるためにも、
数字を代入するのは、最後にしてみましょう〜。

A. 解答

この回路において、キルヒホッフの第2法則を適用すると、

$$E_1 - E_2 - R_1 I - R_2 I = 0$$

である。ここで求めたいもの(未知数)は、電流 I であるから、まず同類項をまとめ、

$$E_1 - E_2 - (R_1 + R_2)I = 0$$
$$-(R_1 + R_2)I = -E_1 + E_2$$

とした後、両辺を、$-(R_1 + R_2)$ で割ると、

$$I = \frac{E_1 - E_2}{R_1 + R_2}$$

であるから、この式にそれぞれの値を代入すると、以下のようになる。

$$I = \frac{E_1 - E_2}{R_1 + R_2} = \frac{4.5 - 1.5}{2 + 1} = 1 \text{[A]}$$

オームの法則

つまり、この回路を1つの直流電源と1つの抵抗にまとめてしまうことで簡単になったわけですね!

その通りです!
電流 I を求めるために方程式を整理すると、自然にオームの法則の形になりましたね。

> **数学例題** 方程式の解き方も、しっかり思い出しておきましょう

$5x + 7 = 7x + 3$ を解け。

【解き方】

まず、x の付いた項（これを未知数という）を左辺に移項して、x の付かない項（これを定数項という）を右辺に移項する。

$5x - 7x = 3 - 7$

次に、これを簡単にすると、

$-2x = -4$

なので、両辺を -2 で割ると、

$x = 2$

が得られ、これが解となる。

例題では、x の係数（x に掛かっている数）は最初から整数でしたが、**x の係数に分数や小数などが含まれる場合**には、等式の両辺に適当な数をかけて、**係数を整数にしてあげましょう**。誤りがなく手早く解けるようになります。

は、初めて問題が解けた…

ちょっとじーん…

今回解いた問題のような「電気回路の、電流や電圧などの計算」のことを**回路解析**というんですよ

よくできました

2 連立方程式を用いた直流回路の問題

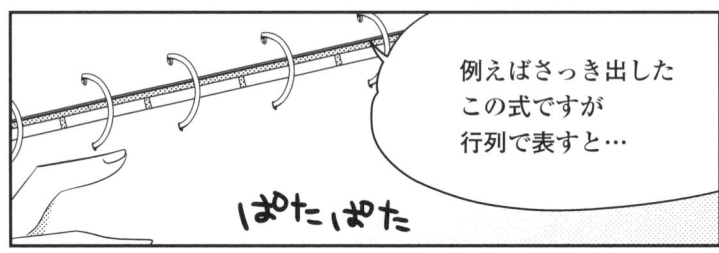

連立方程式と行列

さて、次は先日も出てきました**連立方程式**です

連立方程式は未知数を求めるのに不可欠でしたね

そうですねー

ああ…またこいつに悩まされるのか…

$$\begin{cases} 3x + y = 5 \\ -x + 2y = -4 \end{cases}$$

見たくもない！

今日はそんな青沼さんのために連立方程式を解く際に有効な手段をお教えします

それは式を『**行列**』で表す方法です！

行列？

例えばさっき出したこの式ですが行列で表すと…

こんなふうになります

$$\begin{pmatrix} 3 & 1 \\ -1 & 2 \end{pmatrix} \begin{pmatrix} x \\ y \end{pmatrix} = \begin{pmatrix} 5 \\ -4 \end{pmatrix}$$

あ〜…なんかみたことあるような

1. 見た目がすっきりして書く手間が減る！
2. コンピュータに計算させる際に都合がいい！
3. 素早い計算が出来て連立方程式を解くときに便利！

主にこんな理由だったりします

これは、使わない手はありませんよね〜！

でもなんのことやらさっぱり…

かかわりたくない… 考えたくない…

行列がこんな形をしているのには理由がありまして…

あーメンドー 連立方程式メンドー
もう新しくおぼえるのヤだ

もーっ!!

青沼さん いい加減にしてくださいっ！

確かに未知数が2つの『二元連立方程式』は中学で習ったような解き方でも大丈夫ですが、未知数が3つの『三元連立方程式』は行列を使わないとなかなか解けないんですよっ

ここで頑張らないと壁が高くなる一方なんですからねっ!!

これを機会に行列による方程式の解き方を覚えましょう！

デンくんと一緒に行列と仲良し作戦です！

…やるしかないってことですね……

行列と行列式

まずは、行列の書き方についてお話します。
さっきもお話した通り、行列はこんなふうに書きます。

$$\begin{cases} 3x + y = 5 \\ -x + 2y = -4 \end{cases}$$

$$\begin{pmatrix} 3 & 1 \\ -1 & 2 \end{pmatrix} \begin{pmatrix} x \\ y \end{pmatrix} = \begin{pmatrix} 5 \\ -4 \end{pmatrix}$$

ふむふむ。まあ、どう対応しているかは、見ればわかりますね。

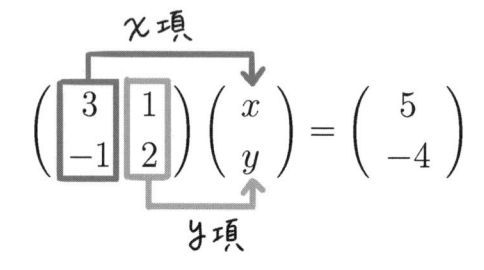

$$\begin{pmatrix} 3 & 1 \\ -1 & 2 \end{pmatrix} \begin{pmatrix} x \\ y \end{pmatrix} = \begin{pmatrix} 5 \\ -4 \end{pmatrix}$$

（x項、y項）

で、連立方程式を解く時に特に重要なのは、『**行列式**』なんです。
行列は、単なる数字の配列です。
行列式は、**行列を便利に扱うための式**だと思ってください。

あー。その行列式を使いこなせば、連立方程式が解けるってわけですか。

そうそう！　そうなんです。
行列式を使って、連立方程式を解くやり方を**行列法**といいます。
これは、計算がとても速くできるんですよー。

おぉ～！　じゃあ、その行列式や行列法ってのをマスターせねば。

行列式って、どんなもの？

それでは、下の2つの式を例にしてお話しますね。
この2つの式で、xとyは**未知数**。
その他は**既知数**といって、既にわかっている値だと思ってください。

$$\begin{cases} a_1 x + b_1 y = d_1 \\ a_2 x + b_2 y = d_2 \end{cases}$$

$x, y \to$ 未知数
$a_1, a_2, b_1, b_2, d_1, d_2 \to$ 既知数

ふむふむ。$3x + 1y = 5$を例にあげると、xとyは未知数。
その他の、3と1と5は、既知数って具合ですね。

さて、この2式を行列で表すと、このようになります。

注目！
$$\begin{pmatrix} a_1 & b_1 \\ a_2 & b_2 \end{pmatrix} \begin{pmatrix} x \\ y \end{pmatrix} = \begin{pmatrix} d_1 \\ d_2 \end{pmatrix}$$

で、注目するべきところは、一番左の部分です。
この部分を元に、**行列式**を作ります！ それがこれです！ じゃじゃーん。

$$\Delta = \begin{vmatrix} a_1 & b_1 \\ a_2 & b_2 \end{vmatrix}$$

行列式の形

ままま、待ってください！ 何もかもわかんないです。
その三角形は何ですか？ どうして（かっこ）が直線になっているんですか？
xとy、d_1とd_2はどこに行ったんですかー！？？

ふふふ。三角形は Δ（デルタ）といい、行列式を表す記号です。
微分積分でもデルタの記号を使いますが、それとは全く関係ありません。
（※行列式は英語で determinant といい、「det」や「D」で行列式を表すこともあります）

かっこが直線になったのも、行列式の記号だと思ってください。
また、x と y が無くなった件については、行列のルールを思い出すとわかります。

$$\Delta = \begin{vmatrix} \overset{x項}{a_1} & \overset{y項}{b_1} \\ a_2 & b_2 \end{vmatrix}$$

ほら！ 配置を見れば、どれが x の項なのか、y の項なのかわかりますよね。
わざわざ書かなくても大丈夫ってことです。

な、なるほど。でも、d_1 と d_2 が消えたのは未だ解決されてません！
これは事件ですよー！

大丈夫ですー。
なぜなら、d_1 と d_2 は……**後でちゃんと使うからです〜**。

な、なんか、すごく単純な理由だ……。

とにかく行列式は、Δ を用いてこのように表記します。
そして**二元連立方程式**を解く際には、行列式 Δ と、行列式 Δx（デルタエックス）
と、行列式 Δy（デルタワイ）の３つを使い、答えを導きだすのです。
（※ Δx は、Δ の x 項という意味です。同様に、Δy は、Δ の y 項という意味です）

Δx と Δy …、つまり未知数ってことですか！

『三元連立方程式』を解く際には、それに加えて、行列式 Δz（デルタゼット）も
使います。ちなみに、**$\Delta = 0$ となる連立方程式は、解を得ることができません。**

『二元連立方程式』と『三元連立方程式』では、計算の過程も変わります。
これから、それぞれの計算の仕方をお話しますね！

行列による二元連立方程式の解き方

それでは、さっきと同じこの式で「**二元連立方程式**」を解いてみましょう。
今回はわかりやすいように、表も用意してみました。

d_1 と d_2 は、未知数 x や y がつきませんね。
こういったものを、「**定数項**」といいます。

$$\begin{cases} a_1 x + b_1 y = d_1 & \cdots (1) \\ a_2 x + b_2 y = d_2 & \cdots (2) \end{cases}$$

表にすると…

	x項	y項	定数項
(1)式	a_1	b_1	d_1
(2)式	a_2	b_2	d_2

えーと、行列式は x 項と y 項の方に注目して、こんな感じですね。

$$\Delta = \begin{vmatrix} a_1 & b_1 \\ a_2 & b_2 \end{vmatrix}$$

ではいよいよ、計算に入りましょう。キーワードは『**たすき掛け**』
覚え方は『(右下がりにかけたもの) ー (右上がりにかけたもの)』ですよ。
           マイナス

へ…?
たすきって、あの…箱根駅伝とかの…?

いえいえ。ここで想像して欲しいのは、
バツ印に交差しているものですねー。
和服の袖をたくし上げたりするものです。

実は行列式の計算は、たすき掛けでこんなふうに行うのです。
まずは、行列式 Δ を求めてみましょう！

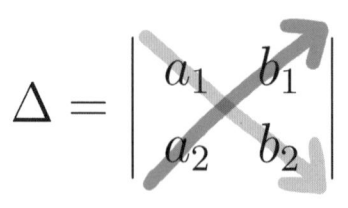

$$\Delta = \begin{vmatrix} a_1 & b_1 \\ a_2 & b_2 \end{vmatrix}$$

乗算して、−（マイナス）の符号
乗算して、＋（プラス）の符号

$$= a_1 b_2 - a_2 b_1$$

ああ、確かに
『（右下がりにかけたもの）−（マイナス）（右上がりにかけたもの）』ですね！

では、次。行列式 Δx と行列式 Δy を求めてみますよ！
Δx を求めるときには、『x の項』に『定数項』を挿入
Δy を求めるときには、『y の項』に『定数項』を挿入するんです。

定数項って、d_1 と d_2 ですね！
あとでちゃんと使うって言ってましたもんね。

d_1 と d_2 が活躍する瞬間をよーく見ていてくださいね。
Δx を求めるときには、『x の項』に『定数項』を挿入します。

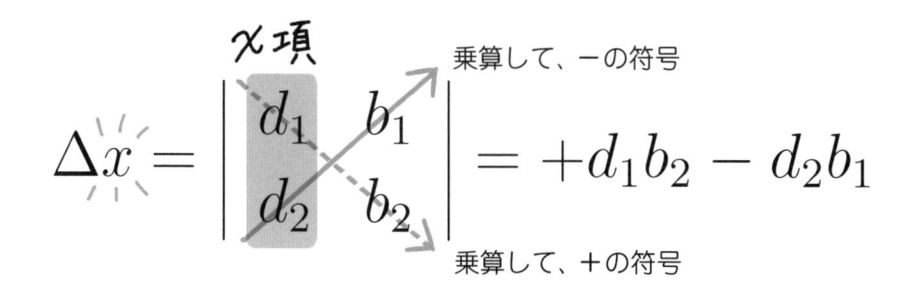

x 項

$$\Delta x = \begin{vmatrix} d_1 & b_1 \\ d_2 & b_2 \end{vmatrix} = +d_1 b_2 - d_2 b_1$$

乗算して、−の符号
乗算して、＋の符号

おぉ、x 項を定数項が乗っ取っちゃいましたね！

はい。同じように、**Δy** を求めるときには、『**y の項**』に『**定数項**』を挿入します。

$$\Delta y = \begin{vmatrix} a_1 & d_1 \\ a_2 & d_2 \end{vmatrix} = +a_1 d_2 - a_2 d_1$$

y項
乗算して、−の符号
乗算して、＋の符号

さあ、これで Δ と Δx と Δy が求められました。
未知数 x と y を求めるためには、**あとはどうすればいいでしょう？**

おおっ、ここまで来れば俺にもわかります！
Δx と Δy を **Δ で割れ**ば、x と y になりますよね。

$$x = \frac{\Delta x}{\Delta} = \frac{d_1 b_2 - d_2 b_1}{a_1 b_2 - a_2 b_1} \quad \Delta x を \Delta で割る！$$

$$y = \frac{\Delta y}{\Delta} = \frac{a_1 d_2 - a_2 d_1}{a_1 b_2 - a_2 b_1} \quad \Delta y を \Delta で割る！$$

その通りです。これで x と y の値が出ますね！
行列法で、二元連立方程式が解けるというわけなんですー。

はー、なるほど…！ でも、これって本当に計算が速くなるんですか？

今回は、解き方をゆっくり丁寧にお話したので、時間がかかりました。
でも、慣れると素早く答えが出せますよ。
練習問題を用意してありますから、さっそくやってみましょう～。

えええええ！！？

> **数学例題** 行列法で、二元連立方程式を解いてみましょう

$$\begin{cases} 3x + y = 5 \\ -x + 2y = -4 \end{cases}$$

【解き方】

$$\underbrace{\begin{pmatrix} 3 & 1 \\ -1 & 2 \end{pmatrix}}_{\Delta\ デルタ} \begin{pmatrix} x \\ y \end{pmatrix} = \underbrace{\begin{pmatrix} 5 \\ -4 \end{pmatrix}}_{定数項}$$

と書けることから、行列による表現が可能であることを利用する。

$$x = \frac{\Delta x \begin{vmatrix} 5 & 1 \\ -4 & 2 \end{vmatrix}}{\Delta \begin{vmatrix} 3 & 1 \\ -1 & 2 \end{vmatrix}} = \frac{5 \times 2 - 1 \times (-4)}{3 \times 2 - 1 \times (-1)} = \frac{10 + 4}{6 + 1} = \frac{14}{7} = 2$$

（右下がりにかけたもの）−（右上がりにかけたもの）の計算をそれぞれ行っています

$$y = \frac{\Delta y \begin{vmatrix} 3 & 5 \\ -1 & -4 \end{vmatrix}}{\Delta \begin{vmatrix} 3 & 1 \\ -1 & 2 \end{vmatrix}} = \frac{3 \times (-4) - 5 \times (-1)}{3 \times 2 - 1 \times (-1)} = \frac{-12 + 5}{6 + 1} = \frac{-7}{7} = -1$$

このように、$x = 2$, $y = -1$ が解となる。

へえ〜！確かに慣れると便利そうかも…！

🌀 行列による三元連立方程式の解き方

未知数が3つの「**三元連立方程式**」も、基本的な考え方は一緒です。
でも、まあ…見た目は、ちょっと、ややこしく見えるかもしれません…。

う…。そんなに大変なんですか？？

いえ、やり方を覚えれば簡単なんですよ！　ええ！
さっきの二元連立方程式の行列式は、こんなふうに計算しましたよね。

$$\Delta = \begin{vmatrix} a_1 & b_1 \\ a_2 & b_2 \end{vmatrix} = a_1 b_2 - a_2 b_1$$

（プラス①　マイナス②）

三元連立方程式の行列式は、未知数が3つに増えてこんな計算になるのです！

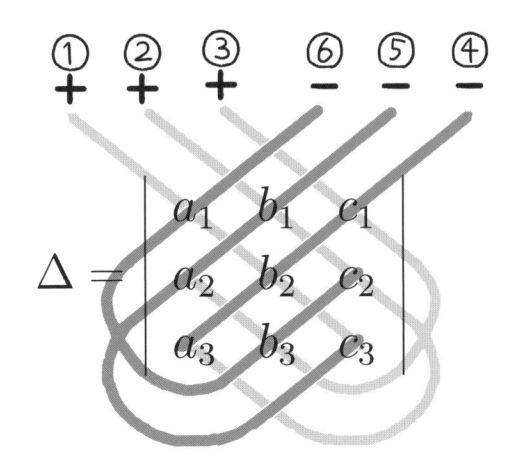

$$\Delta = \begin{vmatrix} a_1 & b_1 & c_1 \\ a_2 & b_2 & c_2 \\ a_3 & b_3 & c_3 \end{vmatrix}$$

（＋①　＋②　＋③　－⑥　－⑤　－④）

これも、『（右下がりにかけたもの）ー（右上がりにかけたもの）』の**たすき掛け**のイメージです。慣れると楽なんですけど、最初はちょっと戸惑いますよね〜。

…………。戸惑うどころか……意識失ってました…。
なんですか、そのハイパーたすき掛けは！？

まあまあ、そういわず実際に解いてみましょう！
考え方は二元連立方程式と同じです。この式から行列式を作ってみてください。

$$\begin{cases} a_1 x + b_1 y + c_1 z = d_1 \cdots (1) \\ a_2 x + b_2 y + c_2 z = d_2 \cdots (2) \\ a_3 x + b_3 y + c_3 z = d_3 \cdots (3) \end{cases}$$

	x項	y項	z項	定数項
(1)式	a_1	b_1	c_1	d_1
(2)式	a_2	b_2	c_2	d_2
(3)式	a_3	b_3	c_3	d_3

えっと、x項とy項とz項に注目して……こうですね。

$$\Delta = \begin{vmatrix} a_1 & b_1 & c_1 \\ a_2 & b_2 & c_2 \\ a_3 & b_3 & c_3 \end{vmatrix}$$

それでは！　さっきのたすき掛けの要領で行列式を計算してみましょう。
さあさあ、青沼さんどうぞどうぞー。

ううう。えーーーっと………………これでどうでしょう！

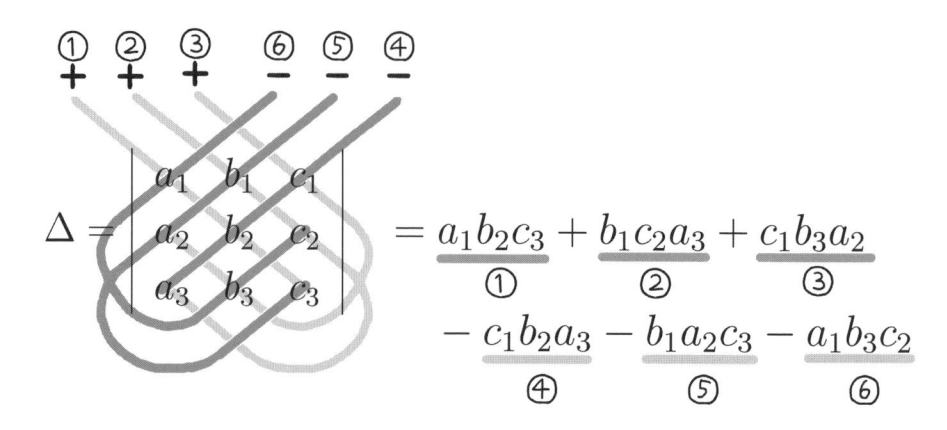

$$\Delta = \begin{vmatrix} a_1 & b_1 & c_1 \\ a_2 & b_2 & c_2 \\ a_3 & b_3 & c_3 \end{vmatrix} = \underbrace{a_1 b_2 c_3}_{①} + \underbrace{b_1 c_2 a_3}_{②} + \underbrace{c_1 b_3 a_2}_{③} \\ - \underbrace{c_1 b_2 a_3}_{④} - \underbrace{b_1 a_2 c_3}_{⑤} - \underbrace{a_1 b_3 c_2}_{⑥}$$

OKです！ 計算の仕方はわかりましたね。後の手順は二次方程式と同じです。
行列式 Δ の他に、行列式 Δx と行列式 Δy と行列式 Δz を求めます。

Δx を求めるときには、『x の項』に『定数項』を挿入
Δy を求めるときには、『y の項』に『定数項』を挿入
Δz を求めるときには、『z の項』に『定数項』を挿入ですね！

$$\Delta = \begin{vmatrix} a_1 & b_1 & c_1 \\ a_2 & b_2 & c_2 \\ a_3 & b_3 & c_3 \end{vmatrix} \quad \Delta x = \begin{vmatrix} \boxed{d_1} & b_1 & c_1 \\ \boxed{d_2} & b_2 & c_2 \\ \boxed{d_3} & b_3 & c_3 \end{vmatrix}^{x項}$$

$$\Delta y = \begin{vmatrix} a_1 & \boxed{d_1} & c_1 \\ a_2 & \boxed{d_2} & c_2 \\ a_3 & \boxed{d_3} & c_3 \end{vmatrix}^{y項} \quad \Delta z = \begin{vmatrix} a_1 & b_1 & \boxed{d_1} \\ a_2 & b_2 & \boxed{d_2} \\ a_3 & b_3 & \boxed{d_3} \end{vmatrix}^{z項}$$

そうですねー。これをそれぞれ、ハイパーたすき掛けで計算して…。

それから Δx と Δy と Δz を、それぞれ Δ で割れば、x と y と z になるのか。
未知数が全部わかる、と！

ええ！ そういうことです。
後ほど電気数学の問題で、三元連立方程式を行列法で解いてみましょうね〜。

…あ、ところで。言い忘れていたことなんですが、このハイパーたすき掛けは、
正式には『**サラスの方法**』とよばれています。

そ、そんなにちゃんとした名前があるんですか。早く言ってください。

いや、結構気に入ったので…。

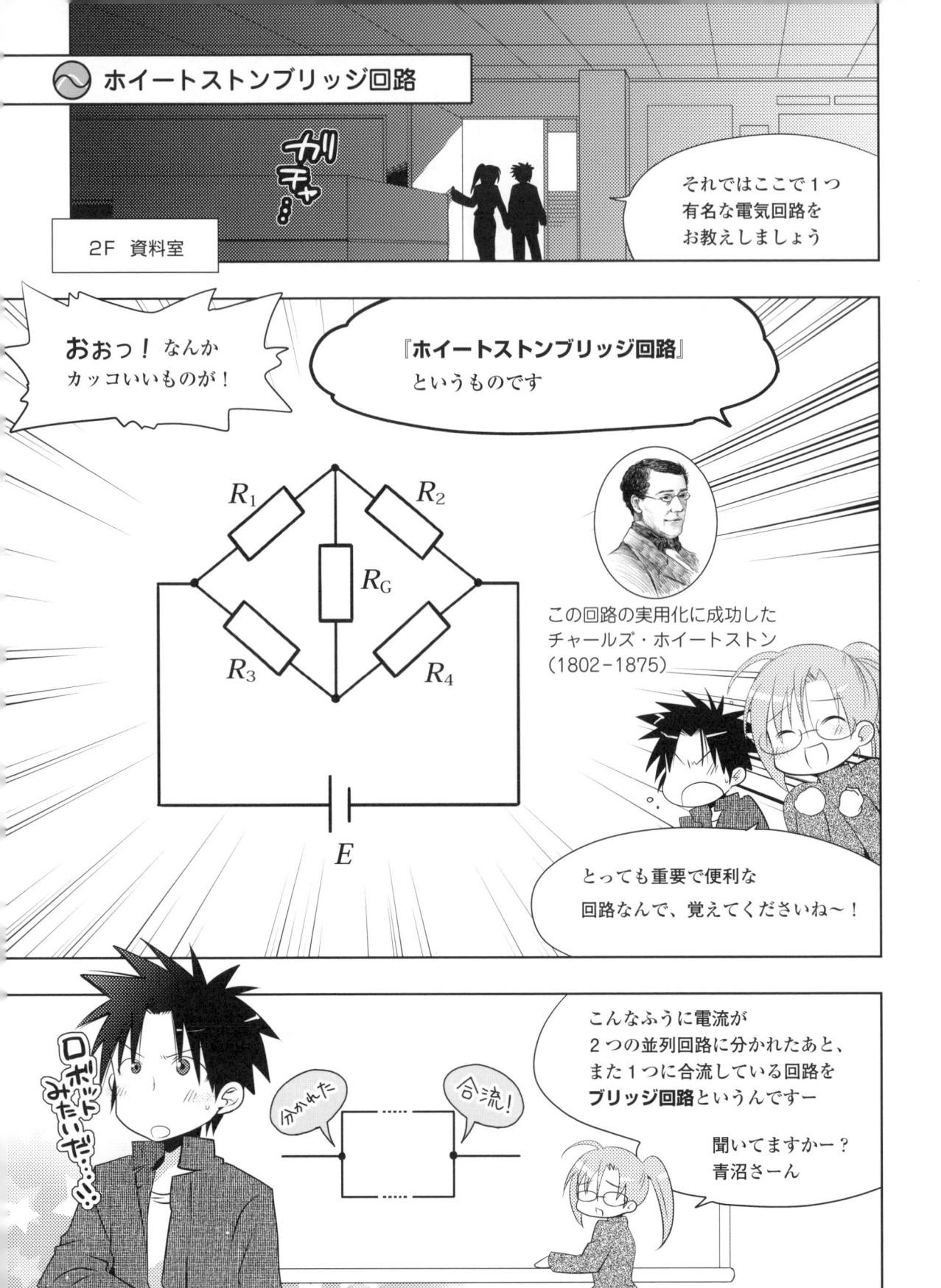

ホイートストンブリッジ回路

2F　資料室

それではここで1つ有名な電気回路をお教えしましょう

おおっ！なんかカッコいいものが！

『ホイートストンブリッジ回路』というものです

この回路の実用化に成功したチャールズ・ホイートストン（1802-1875）

とっても重要で便利な回路なんで、覚えてくださいね～！

ロボットみたいだ…！

分かれた　合流！

こんなふうに電流が2つの並列回路に分かれたあと、また1つに合流している回路を**ブリッジ回路**というんですー

聞いてますかー？青沼さん

なんだあの真ん中の R_G って…

G なんて今まで出てきたっけ…？

それはこれのことですね！
検流計です！

検流計は英語でgalvanometer（ガルバノメータ）と言いまして、Gはその頭文字なんです

あー！理科の実験とかで見たことあります！

ふむふむ…ガルバノメータ…

で、この回路はどんなふうに便利なんですか？

検流計は記号図でもGとなっていますよ

※今回は後の計算のために検流計を抵抗R_Gとしています

こいつがあの中心…！

ふふふ…この回路の特徴は一言じゃお教えできませんね

なにより理解には実践が一番です

というわけでホイートストンブリッジ回路の問題を今から解いてみましょう！
レッツゴー！

こいつを敵に回すなんて勝てる気がしないんですけどーっ！

問題 閉ループから、連立方程式を立てよう！

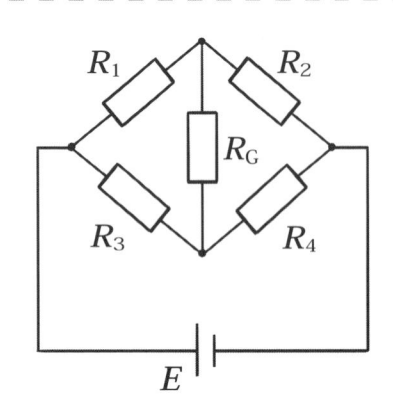

このホイートストンブリッジ回路の平衡条件を求めよ。

CHECK！
平衡条件とは、中間点の検流計抵抗 R_G に流れる電流が0（ゼロ）になる条件ということです。

考え方

まずは敵のことをよく知りましょう〜。この問題の目的は、中間点の R_G に流れる電流が0になる条件を探せばいいってことなんですよ。

さて、ここで一度『**電気回路の解き方**』をまとめてみますね。
まずは電源電圧（**直流か交流か**）と接続（**直列か並列か**）をチェック。
その後は…

【STEP1】電流の方向を設定する。
【STEP2】回路中に、いくつかの閉ループを見つけだす。
【STEP3】それぞれの閉ループを辿り、キルヒホッフの法則
　　　　　（電流則や電圧則）を適用する。
【STEP4】法則を適用することで、いくつかの連立方程式が
　　　　　出来たはずなので、それを解く。

こんな感じで解けることが多いです。
ですので、この回路にも閉ループを見つけ出して、書き込みましょう！

…うーん。閉ループを決めるときのコツってありますか？

問題をよく読み、何が求められてるのかを考えましょう。
今回の場合ですと、R_Gを含めた閉ループは絶対に必要ですよね？
また、条件を求める問題ですから、R_1, R_2, R_3, R_4, Eなど、全ての要素を閉ループに含めておきたいです。

えーと、じゃあ、これでどうでしょう？
ループ①…直流電源E～抵抗R_1～抵抗R_2～直流電源E
ループ②…直流電源E～抵抗R_3～抵抗R_4～直流電源E
ループ③…抵抗R_1～抵抗R_G～抵抗R_3～抵抗R_1

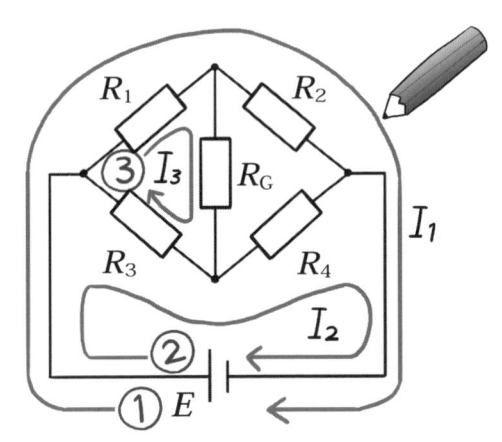

このように自分で、閉ループを書き込んでみましょう！

バッチリです！それでは3つの閉ループに流れる電流を、それぞれI_1, I_2, I_3としましょう。ここであらためて問題文を見てください。

あ…！『R_Gに流れる電流が0になる条件』は、言い換えると『$I_3=0$になる条件』ってことになりますね！

そうです！私たちはI_3がどんな式になるのか、これから計算して調べていくってわけなんですー。
閉ループにキルヒホッフの法則を適用して、連立方程式を作ります。
I_1, I_2, I_3の3つを未知数と考えると…三元連立方程式！
さっき学んだ「**サラスの方法**」の出番なんですよ～。

91

A. 解答

まず、閉ループ１についてキルヒホッフの第２法則を適用すると、

$$\text{電源電圧 } E = R_1(I_1 + I_3) + R_2 I_1$$
$$= (R_1 + R_2)I_1 + R_1 I_3$$

次に、閉ループ２についてキルヒホッフの第２法則を適用すると、

$$\text{電源電圧 } E = R_3(I_2 - I_3) + R_4 I_2$$
$$= (R_3 + R_4)I_2 - R_3 I_3$$

また、閉ループ３についてキルヒホッフの第２法則を適用すると、

$$\text{合計ゼロ！ } 0 = R_1(I_1 + I_3) + R_G I_3 + R_3(-I_2 + I_3)$$
$$= R_1 I_1 - R_3 I_2 + (R_1 + R_G + R_3)I_3$$

これらの３つの式をまとめると、

$$\begin{cases} E = (R_1 + R_2)I_1 & + R_1 I_3 \\ E = (R_3 + R_4)I_2 & - R_3 I_3 \\ 0 = R_1 I_1 - R_3 I_2 & +(R_1 + R_G + R_3)I_3 \end{cases}$$

という I_1, I_2, I_3 の連立方程式がたてられることになる。

CHECK！
この後は、**サラスの方法**を使って三元連立方程式を解いていきます。慣れないうちは、このように表を作るのもオススメです。

I_1 の項	I_2 の項	I_3 の項	定数項
R_1+R_2	0ゼロ	R_1	E
0ゼロ	R_3+R_4	$-R_3$	E
R_1	$-R_3$	$R_1+R_G+R_3$	0

I_3 を求めると、次式のようになる。

$$I_3 = \frac{\Delta I_3}{\Delta} \frac{\begin{vmatrix} R_1+R_2 & 0 & E \\ 0 & R_3+R_4 & E \\ R_1 & -R_3 & 0 \end{vmatrix}}{\begin{vmatrix} R_1+R_2 & 0 & R_1 \\ 0 & R_3+R_4 & -R_3 \\ R_1 & -R_3 & R_1+R_G+R_3 \end{vmatrix}}$$

（三元連立方程式の行列法による解き方は、P.85 参照）

$$= \frac{-\{R_1(R_3+R_4) - R_3(R_1+R_2)\}E}{(R_1+R_2)(R_3+R_4)(R_1+R_G+R_3) - R_1^2(R_3+R_4) - R_3^2(R_1+R_2)}$$

$$= \frac{(R_2R_3 - R_1R_4)E}{(R_1+R_2)\{(R_3+R_4)(R_1+R_G+R_3) - R_3^2\} - R_1^2(R_3+R_4)}$$

$I_3 = 0$ にするためには、この式の分子である $(R_2R_3 - R_1R_4)E = 0$ が成立すればよい。

↓ 電源電圧がゼロだと、問題が成り立たない

だが、$E \neq 0$ なので、$R_1R_4 - R_2R_3 = 0$ となる。

よって、$R_1R_4 = R_2R_3$

と、解けましたー！
解けたけど疲れた…。いや、疲れたけど解けた…と言うべきか…。

ふふふ。お疲れ様です！
それでは、ここで導き出した $R_1R_4 = R_2R_3$ の式を元に、
ホイートストンブリッジ回路が、どう役立つのかお話していきますね。

ホイートストンブリッジ回路の平衡条件

問題を解いた結果、$R_1 R_4 = R_2 R_3$ という式が出ましたねー。
実はこれ丸暗記しがちな式なんですけど、こうして証明ができて嬉しいです。

で、あのー。結局この回路ってどんなふうに便利なんですか？？

ふふ。わかりませんか？ この式が成立するということは…
R_1, R_2, R_3, R_4 のうち、3つの値がわかれば、残りの1つの値もわかるということです。

未知の抵抗を含む4つの抵抗をこのように配置して、**中間点の電流がゼロになるように調節する**ことで、未知の抵抗の値が正確に測定できるのですよ！
素晴らしいですよね～！！

………。あのー、なんか疑問がいっぱいなんですけど…。
電流がゼロになるように、ちまちま調節するのって面倒ですよねえ。
これってホントに便利なんですか？ 他に抵抗を測る方法はないんですか？

ええ。確かに、すぐに抵抗値を測れる**テスタ**というものもあります。

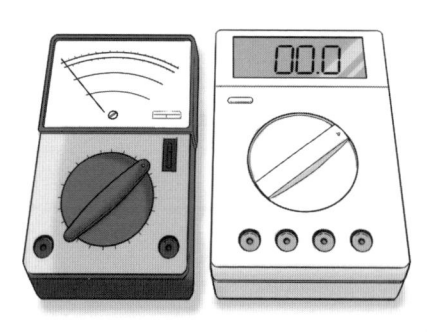

針の目盛りやデジタル数値で
すぐに値がわかります。

でも、テスタで測定したものより、ホイートストンブリッジ回路での測定の方が、ずーーっと正確なのです。

ええ！？ そういうもんなんですか？

テスタの測定法は『偏位法(へんいほう)』、ブリッジ回路の測定法は『零位法(れいいほう)』といいます。
偏位法より零位法のほうが、ずっと高精度の測定ができます。
偏位法はハカリ、**零位法**は天秤に例えられたりするんですよー。

早い！楽！　　ハカリ

手間はかかるが、精度が高い。　　天秤

あ！　そういえば、さっきのブリッジ回路は、まさに天秤みたいですね。
ピッタリつり合いがとれた時、中間点がゼロになる感じで。

そうなんです。まとめるとこんな感じです〜。

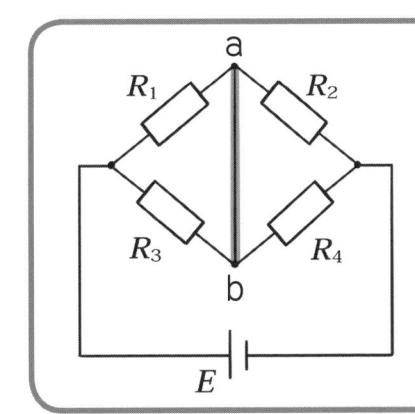

$$R_1 R_4 = R_2 R_3$$

が成り立つとき、
a点とb点の間に電圧差は無い
= a-b 間に電流は流れない
= 電流や電圧の値が0になる
= 平衡である

平衡条件の『**平衡**(へいこう)』という言葉は、元々「つり合いがとれて、変化しない状態」
という意味なんですよ。

へぇー、なるほど。この回路は、**天秤の役割を果たす、精度の高い測定回路**
…ってわけですか。なんだか便利さが、わかってきました！

でしょう？　とても素敵な回路なんです。
このホイートストンブリッジ回路の平衡条件は、よく見かける問題です。
特徴を覚えておいてくださいね！

3 不等式の問題

不等式の性質

それでは最後に、**不等式**についてお話します。
青沼さんは不等式って見たことありますよね？

そりゃー、もちろん。

念のため、おさらいしておきますね。
不等式とは2つの数や式の大小関係を示したもので、おおまかにいうと、次のようになります。

- $a < b$　a は b より小さい
- $a > b$　a は b より大きい
- $a \leqq b$　a は b より以下である。（b と等しいこともある）
- $a \geqq b$　a は b より以上である。（b と等しいこともある）

ここで、$<, >, \leqq, \geqq$ の記号を『不等号』という。

うんうん。わかります。

では、計算の仕方はどうでしょう？ ちゃんと覚えてますか。
不等式には、次のような**3つの性質**があるのです。

不等式の3つの性質

1 不等式の両辺に『同じ数』を加えたり引いたりしても不等号の向きは変わらない。

$a < b$ のとき　　$a + c < b + c$,　$a - c < b - c$

2 不等式の両辺に『正の数』を掛けたり割ったりしても**不等号の向きは変わらない。**

$a < b,\ c > 0$ のとき　　$ac < bc$,　$\dfrac{a}{c} < \dfrac{b}{c}$

3 不等式の両辺に『負の数』を掛けたり割ったりすると**不等号の向きが逆になる。**

$a < b,\ c < 0$ のとき　　$ac > bc$,　$\dfrac{a}{c} > \dfrac{b}{c}$

ちょ、ちょっと忘れているとこもありましたが、思い出しました。
簡単簡単！　このぐらい楽勝です。

…そう思ってると、ミスしちゃうんですよね〜。

うっ！

でも、油断さえしなければ、不等式の問題はちゃんと解けます。
不等式は『100以上150以下』『100未満』なんて具合に**範囲を示す**ことが出来ますから、電気数学の問題でも、よく出てくるんですよ。

電気数学の問題で『**…の範囲を示せ**』なんて言われたら、「あー、不等式で回答するんだな〜」って思ってください。
そう、まさにこんな感じに！！

い、いきなり問題ですか！？

Q 問題　不等式に気をつけながら、範囲を求めてみよう！

定格電流 10〔A〕のヒューズがある。電源電圧を 100〔V〕とした場合、負荷抵抗として適当な大きさの範囲を示せ。

考え方

まず、用語についてお話しますね。**定格**というのは「定められた限度」ということです。つまり、定格電流１０Ａのヒューズというのは――

「電流１０Ａまでが限界。それ越えたら、ヒューズ飛びますよ」ってことですね。

その通りです！ちなみに、**負荷抵抗**は**抵抗を生み出すだけ**の装置です。例えば、豆電球という負荷は、光るという仕事をして同時に抵抗も生み出すわけですが…、負荷抵抗は単に抵抗を生み出す**だけ**です。

え…と…。
それって、役立たず…？

いえいえ！それこそが、負荷抵抗の役目なんですよ～。
わざと抵抗を生み出すことで、電流の大きさを抑えます。
電流の大きさの調整や試験に使われるんですよ。

ああ、オームの法則でありましたね。
抵抗が大きければ、電流は小さくなる！
負荷抵抗の大きさが一定以上なら、ヒューズは飛ばないってわけか。

A. 解答

　この場合は、10[A]の電流が流れるとヒューズが飛ぶと考えて、電流は10[A]以下になるようにしなければならない。したがって、

$$I = \frac{E}{R}$$

$$\frac{E}{R} < 10 〔A〕$$

となるので、この不等式を満たすような抵抗Rの値の範囲を求めれば良いことになる。この不等式の両辺にRを掛けると、

$$E < 10R$$

である。$E = 100$を代入し、未知数項であるRが左辺にくるように書き換えると、

$$10R > 100$$

したがって、

$$R > 10〔Ω〕$$

となるので、10〔Ω〕より大きい値となる抵抗が必要となる。

デンくんの豆知識『ヒューズ』

知っている人も多いと思うけど、
ヒューズは、事故を防止するための部品だよ。

定格以上の電流が流れた際に、自ら壊れることによって、電気回路を保護し、加熱や発火などを防止するんだ。

「ヒューズが飛んだ」「ヒューズが切れた」という時には、ヒューズの中の金属の線が溶けたり切れたりしているよ。

1次不等式

さっき解いてもらったヒューズの問題は、**1次不等式**の問題です。
「**次数**」については、こちらのノートを見てくださいね。

> **次数について**
>
> x … x が1次
> x^2 … x が2次
> x^3 … x が3次
>   ↑ 次数といいます
>
> ・マイナスの次数
> $x^{-1} = \dfrac{1}{x}$
> $x^{-2} = \dfrac{1}{x^2}$
>
> ・分数乗
> $x^{\frac{1}{2}} = \sqrt{x}$

ふむふむ。確かに、さっきの未知数 R は1次でした。
…てことは、未知数 R^2 なんて2次の難しい問題も、いつか出てくる…とか？？

ふふふ。それは今後のお楽しみですね。
では最後に**1次不等式の注意点**を確認して、締めくくりにしましょう〜。

$$ax + b > cx + d$$

この不等式を解く場合には、x 項を左辺、定数項を右辺にまとめる。

$$(a-c)x > d-b$$

となるので、両辺を $a-c$ で割ると、

$$x > \dfrac{d-b}{a-c} \quad (a-c>0 \text{ の場合}) \quad \cdots \text{正の数}$$

$$x < \dfrac{d-b}{a-c} \quad (a-c<0 \text{ の場合}) \quad \cdots \text{負の数}$$

となる。不等号の向きは a と c との大小によって決まる。

CHECK！ 0で割ってはいけません。つまりこの場合、$a-c\,(\neq 0)$ です。

割る数がプラスかマイナスかが、ポイントですね。
よしっ、覚えました。

ふう…年の瀬は
日が落ちちゃうのが
早いですよね
もうこんなに
暗くなっちゃって
…今日もありがとう
ございました
連日すみません…
せっかくの休日なのに…
いいえ～
いいって言ってる
じゃないですかー
…礼は言えたっ！
前進！
ぐっ！
それにしてもクリスマス過ぎると
街並みが一気に静かになりますねぇ
そ、そうですよね…
イルミネーションも
なくなりますし
街の雰囲気が
落ち着いてくるっていうか…
年末だなーって気持ちになりますよね
…正直、クリスマス前の
街全体が浮かれた感じは
ちょっと苦手なんですよ
だから今の雰囲気は
すごいホッとしちゃいます
あっ！でも
イルミネーションとかは
綺麗なので好きですよっ
愛する電気が
こんなに輝いて…って
感動しまくりですよもう
あ……

そういえば最初会った時そんなこと考えたかもしれない…

もうっ、ひとりでイルミネーションみてたっていいじゃないですかっ。

この人…
俺と同じメンタルなんだ

わかってくれますか？

わかりますよー
その感じ

クリスマス終わると
ホッとしますよねー

なーんだ
「お仲間」かぁ

クリスマスの
バカヤローッ！

ばかやろー！

早く来てください
お正月ーっ！
おもちーっ！

あの幸せな奴しか
道歩けない感じ！
肩身狭いっすよね！

そ…そうなんですよ
もうホントに！
申し訳なく
なっちゃいます！

…なんだろう

すごい、肩の力が抜けた………

第3章

三角関数とベクトル

たっ
たっ
たっ
電力ミュージアム
すみませんっ
遅くなり…
どうしたんですか！？
ずーーん
本日は
あー…休館ですか
年末ですもんねぇ…
仕方ないかあ…
本日は休館
また明日
ごめんなさい…
私すっかり忘れてまして…
いやいやそんな！
全然だいじょうぶですよ！
ぐすっ…
うーん…でも
どこかに移動しなきゃ
いけな…
はっ！

こ…これは家を提供すべき場面か？
その方が常識的か？

でも会って何日かで部屋に誘うってなんか失礼だったりしないか？

普通にファミレスとか探した方がいいんだろうか

あああでも年末だし混んでたら厄介だし…

よーし！

こうなったら公園で勉強しましょうっ！

わぁぁぁ…

ここここ弘法筆を選ばずと言いますしっ
電気のこと考えてれば暖かくなりますっ
さささささぁ始めましょううう

1 交流を扱うための基礎知識

交流は、ややこしい…？

さて、防寒を
しっかりしたとこで
本題に入りましょう

まず、前回解いた問題は
直流でしたね！

はい

直流とくれば、交流ですね

そんなわけで
今日からは
交流についてです！

直流

交流！

交流の回路記号図は、
丸の中に「波形」がある
イメージです。

交流…

そういえば確か
一番最初にも言ってましたよね

交流はややこしいとか…なんとか

?

回転ベクトル　　　　正弦波交流

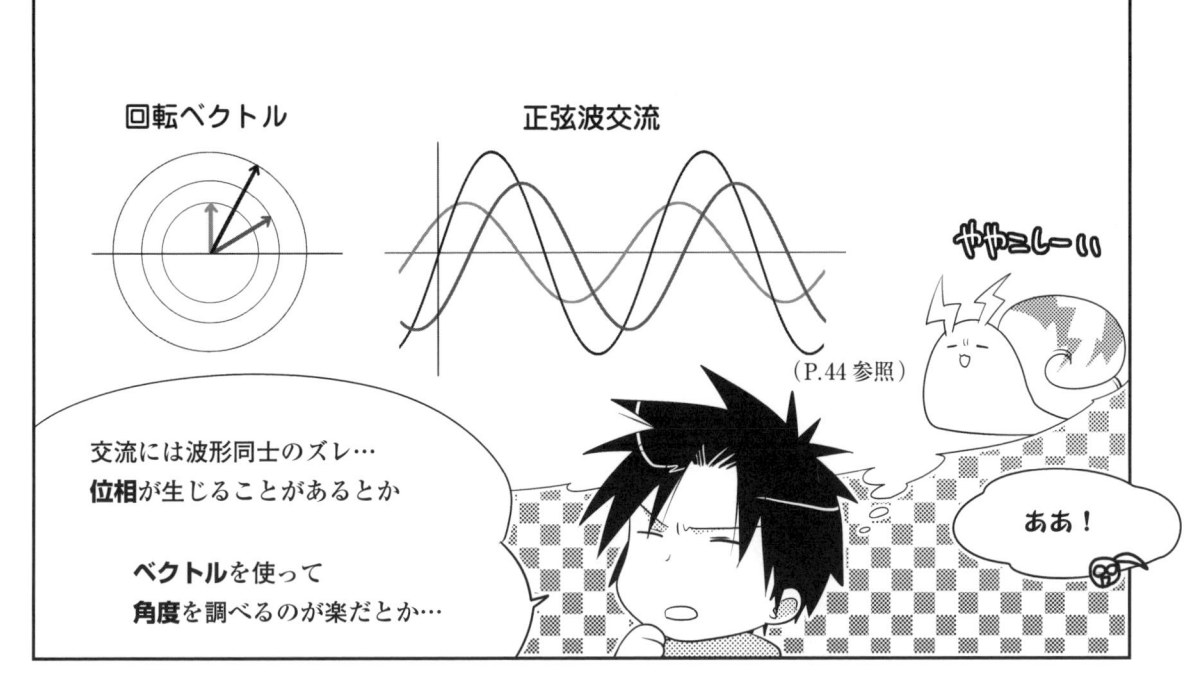

（P.44参照）

ややこしー！

交流には波形同士のズレ…
位相が生じることがあるとか

ベクトルを使って
角度を調べるのが楽だとか…

ああ！

覚えてらっしゃったんですね！
そうそうその通りです！

青沼さんすごいですー！

い、いやぁ…

さて、青沼さんの
言う通り
交流とはややこしい
ものなのです

ですが、そこを覚悟して頂いてるなら
話は早いですね！

まず、その**位相**を表す**ベクトル**について
お話しましょう！

位相を表すベクトル

まず最初に、sin と cos のグラフを思い出してみましょう（P.31参照）。
波形を見れば、2つのグラフは形が一緒で、90°ズレているとわかりました。
でも、今回注目して欲しいのは、**円運動**の方です。

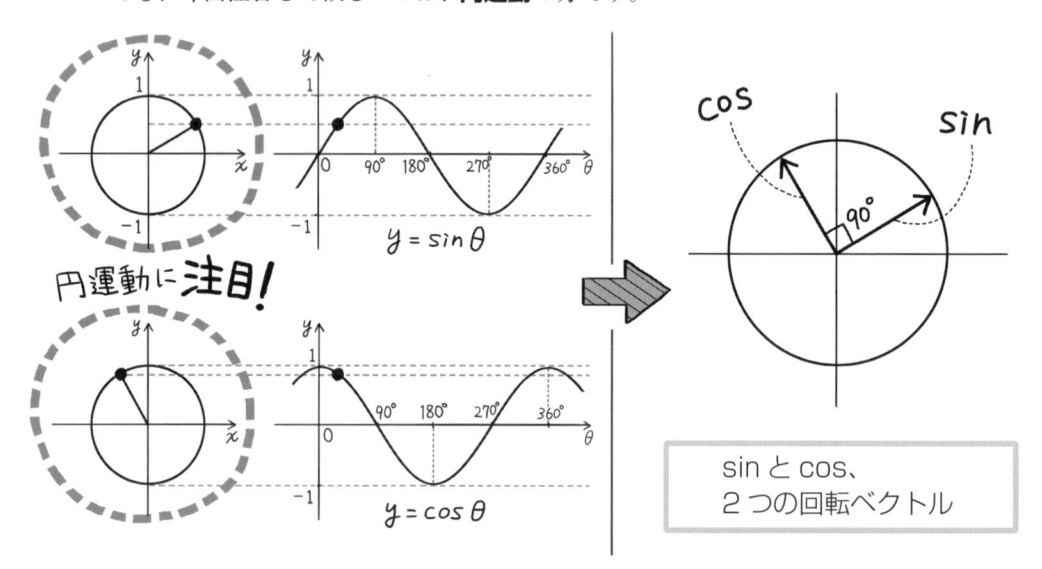

円運動に注目！

$y = \sin\theta$

$y = \cos\theta$

sin と cos、
2つの回転ベクトル

黒いゴンドラで考えた円運動を、そのまま**回転ベクトル**にしてみましょう。
そして sin と cos の2つの回転ベクトルを、同じ円に置いて、比べてみると…？

あっ、『2つのベクトル間の角度』は、**常に**90°になっています。
このベクトル間の90°は、そのまま、波形のグラフのズレ90°なんですね！

そうです。ちなみに、**あるベクトルを基準にして『静止ベクトル』**にすると、
ベクトル間の角度がさらに見やすく、わかりやすくなります。

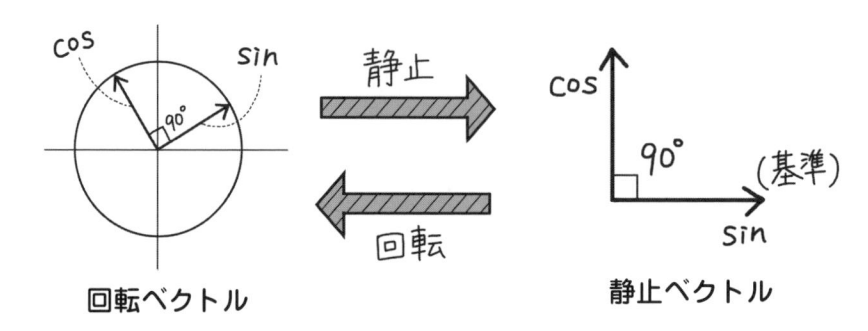

静止 →
← 回転

回転ベクトル　　　　　静止ベクトル

波形のズレ…**位相を、ベクトル間の角度で調べる**とは、こういうことなんです。
このベクトルの間の角度を『**位相角**（いそうかく）』といいます。

位相角が、そのまま位相の差。位相を知るには、位相角を見ろってことですね！

ここで注意ですが、ベクトルは必ず**左まわり（反時計まわり）**です。
つまりこの場合、cos の方が、sin よりも **90°進んでいる**とわかります。
『**cos は 位相が 90°だけ進んでいる**』といえるわけです。

ああ、そういえば今まで、ズレているとしか思っていませんでした。
どちらが**進んでいるか、遅れているか**も、大事なんですね。

そうなんですー。
進みと遅れは、波形では判断しづらく、やっぱりベクトルが便利なんです。
また、**ベクトルの長さは、正弦波の最大値に対応**してますので、ベクトルが長い方が最大値が大きいってことですよ。
例として、ある電圧と電流の、2つの回転ベクトルを見てみましょう。

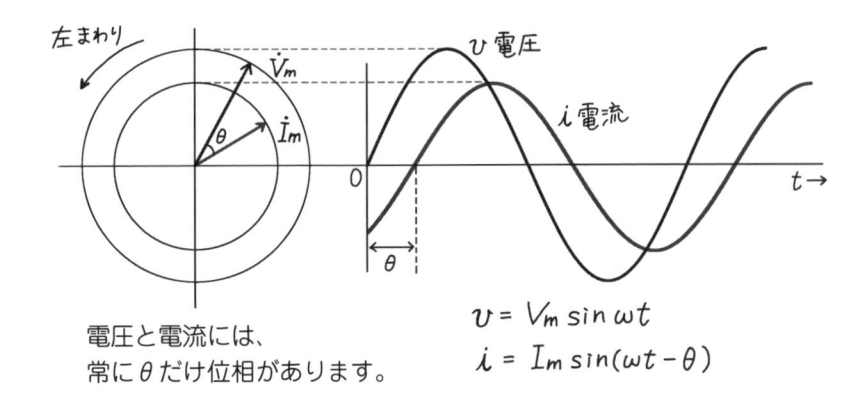

電圧と電流には、
常に θ だけ位相があります。

$v = V_m \sin \omega t$
$i = I_m \sin(\omega t - \theta)$

> 位相があり、最大値も異なる2つの回転ベクトルの様子

そっか。こんな回転ベクトルを見ると、時計の長針と短針を連想したりしますけど、性質は全く違いますね。
ベクトルは、必ず**反時計まわり**。時計の長針と短針は、時間とともに2つの針の間の角度が変わるけど、2つの回転ベクトルの間の**角度は常に一定**…。

その通り！ 時計の針とは、全っ然、違います〜。しっかり覚えてくださいね。

109

角度の新しい表し方

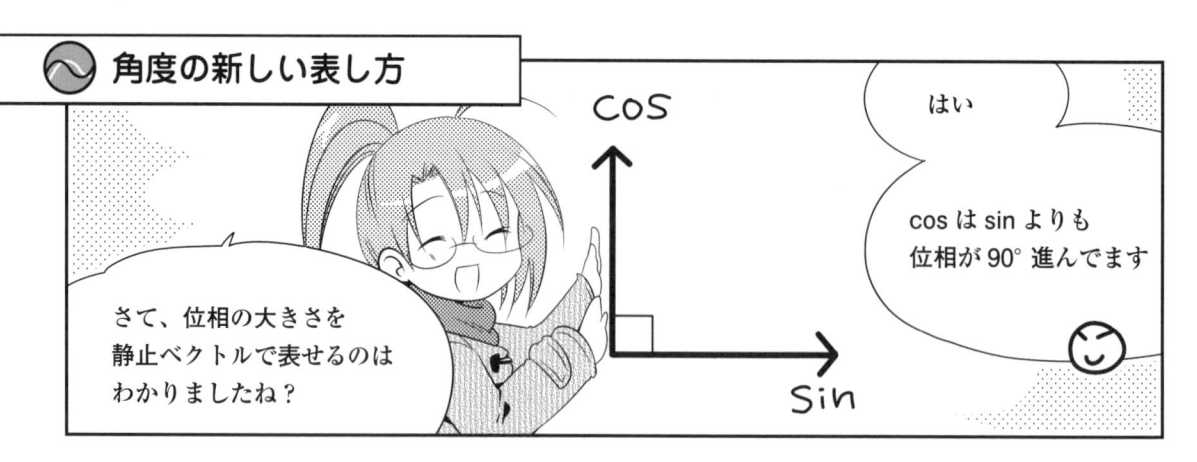

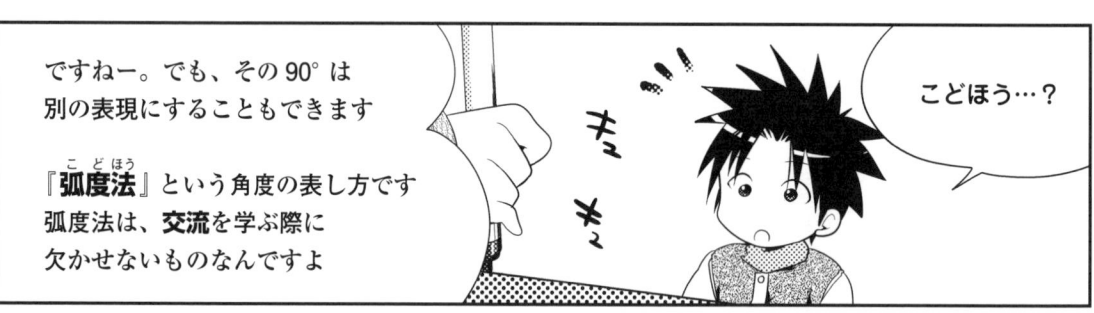

さて、位相の大きさを静止ベクトルで表せるのはわかりましたね？

はい
cosはsinよりも位相が90°進んでます

ですねー。でも、その90°は別の表現にすることもできます

『弧度法(こどほう)』という角度の表し方です
弧度法は、**交流を学ぶ際に欠かせないもの**なんですよ

こどほう…？

簡単に言うと、0°から360°までを**円周の長さで表現する方法**なのです

弧度法(こどほう)
〔rad〕ラジアン

単位は〔rad（ラジアン）〕といいます！

例えば、90°を弧度法で表すと$\pi/2$となります

電気の世界では『位相が$\pi/2$進んでる』なんて言い方をすることも多いんですよ

$= \dfrac{\pi}{2}$

110　第3章　三角関数とベクトル

角度90°
=
$\frac{\pi}{2}$ [rad]

弧度法

角度を表す弧度法…
角度……

……？？

つまりこういうことですねー

π（パイ）って**円周率**でしたよね？

角度を表すのになんでπが出てくるんですか？

それからこの子！

じゃんっ

お！オメガ！

ふふ…
それはこのあとじっくりお教えしましょう…

ほかほか…

このω（オメガ）の単位にも〔rad（ラジアン）/sec（秒）〕が関わってきます

この辺り、まとめてお話しちゃいましょう！

弧度法

交流を扱う時には、角度を『**弧度法**』で表すことが多いです。
ぜひ慣れ親しんでおきましょう〜。
（※弧度法は**ラジアン法**ともいいます）

うーん。慣れ親しみたいけど、正体不明じゃ、もやもやします。
なんで、角度がπ入りの数字になるんでしょう…？ πって円周率なのに…。

まずは、下の図を見てください。
これは半径 $r = 1$ の単位円です。この円の円周を求める公式は **$2\pi r$**
忘れてるかもしれませんが、円周を求める公式は、小学校で出てきたはずです。

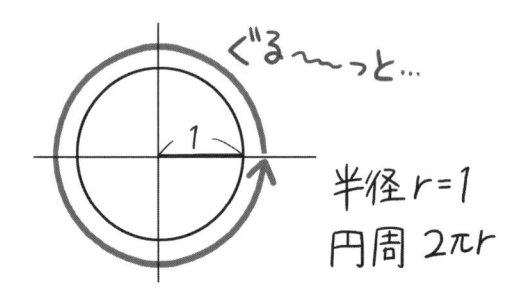

ぐる〜っと…

半径 $r=1$
円周 $2\pi r$

ふむふむ。まあ、公式は忘れてましたけど…。
言ってることはわかります。

では、$2\pi r$の半分、πrの場合を考えてみましょう。図にしてみると…。

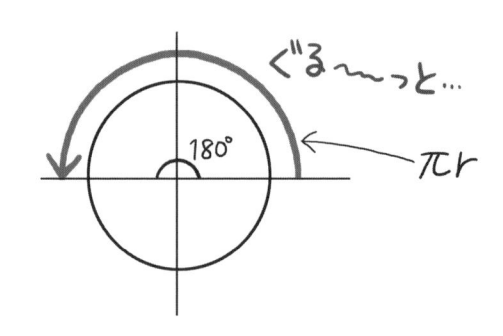

ぐる〜っと…
180°
πr

180°ってことですね。あ、これって半径 $r = 1$ の単位円。
$r = 1$ だから、πr に 1 を代入して……すっきり **π** になります！

そう！ それが弧度法の表し方なんです。
単位は【rad（ラジアン）】で、まとめるとこのようになります。

ラジアン [rad]	$\dfrac{\pi}{6}$	$\dfrac{\pi}{4}$	$\dfrac{\pi}{3}$	$\dfrac{\pi}{2}$	π	2π
角度 [°]	30	45	60	90	180	360

角度とラジアンの対応

おぉ、なるほど！ こんなふうに対応してるんですね。
180°＝π さえわかっていれば、あとは計算でいつでも導き出せそうです。
…でも、あのー。弧度法って、どうしてわざわざ使うんでしょう？

すごーく簡単に言うと「**数式で表したり計算する時に、便利！**」だからです。
逆に弧度法を使わないと、公式が必要以上に複雑になっちゃったりします。
単純な例では、扇形の「弧の長さ」の公式に弧度法が使われてますよ。

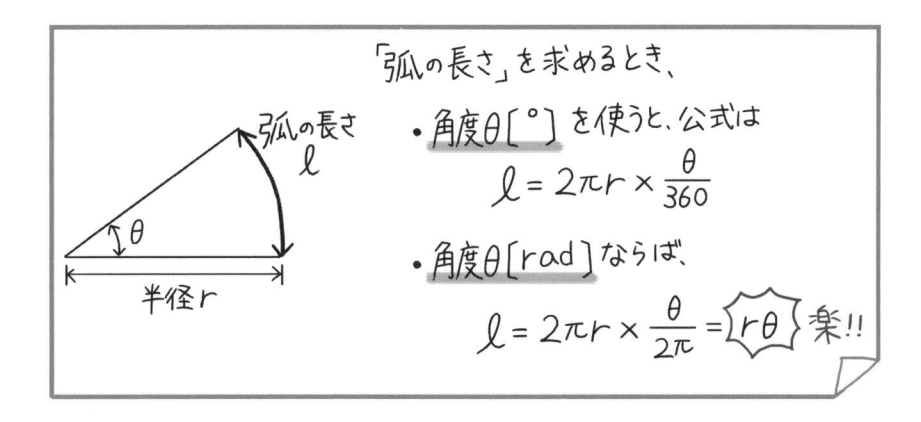

「弧の長さ」を求めるとき、

・角度θ[°]を使うと、公式は
$$\ell = 2\pi r \times \dfrac{\theta}{360}$$

・角度θ[rad]ならば、
$$\ell = 2\pi r \times \dfrac{\theta}{2\pi} = \boxed{r\theta} \quad 楽!!$$

また、電気数学で重要な、三角関数の微分積分の公式にも関係があります。
慣れてくると、弧度法はとても便利で計算しやすい考え方なんです。

ほぉ〜。公式は簡単な方がいいし、計算も便利になるのはいいなぁ。
つまり、弧度法は覚えなきゃ損ってことですね。

そうなんです。せっかくの先人の知恵ですから、私たちも使ってみましょう！

ωは、角速度かつ角周波数

ω(オメガ)について、最初にお話したことを覚えていますか?

はい。えーと、猫の口みたいなωは『角速度』といって、円周運動している点が1秒間に進む角度を表しています。

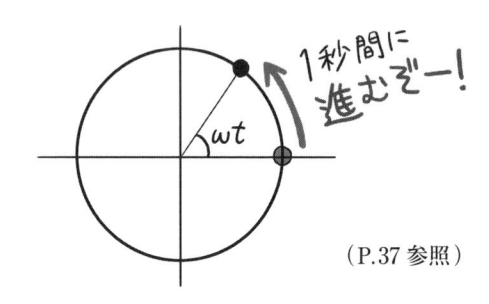

(P.37 参照)

だから、**角速度ωに、時間 t〔s(秒)〕をかけると、角度が求められます。**
$\omega t =$ 角度 θ と思って覚えました。

ですねー。ここで追加して、ωの単位は〔rad/s(ラジアン毎秒)〕であることを覚えてください。
つまり、**ωとは1秒間に何ラジアン進むかという数値**なのです。

あー、ラジアン〔rad〕は、さっき習った弧度法!
「何ラジアン進んだか?」=「どれだけの角度進んだか?」ってことですね。

はい。ここで絶対に覚えて欲しい大事な式はこれですー!

$$\text{角度}\,\theta = \text{角速度} \times \text{時間} = \omega t\,\text{〔rad〕}$$

うんうん。ωの単位は〔rad/s〕だから、ωt の単位は〔rad〕ですね。

さらにこれから、新しいことをお教えしましょう〜。
実はこのωは、『**角速度**』であると同時に、『**角周波数**』ともいいます。
周波数って、聞き覚えがありますよね?

1秒間に、1周期が何回繰り返されているのかを示す数が「**周波数**」
記号は f で、単位は Hz（ヘルツ）です…よね？

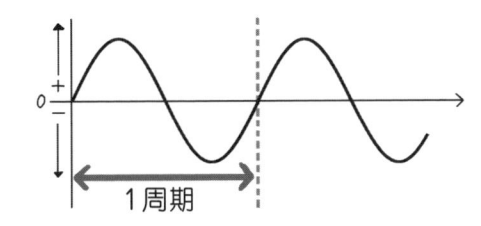

その通りですー。また、**1周期は円1周**のことでしたね。

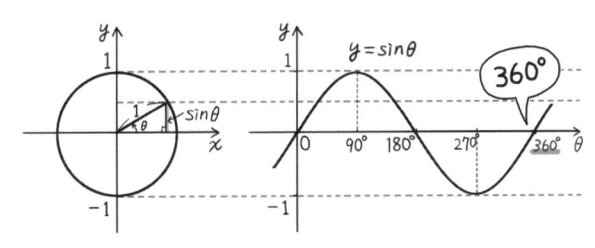

ふむふむ。…ということは、**角周波数（角速度）ω** が大きければ大きいほど、
円1周を回転するのが速くなり、**周波数 f** の値も大きくなるってことですね！

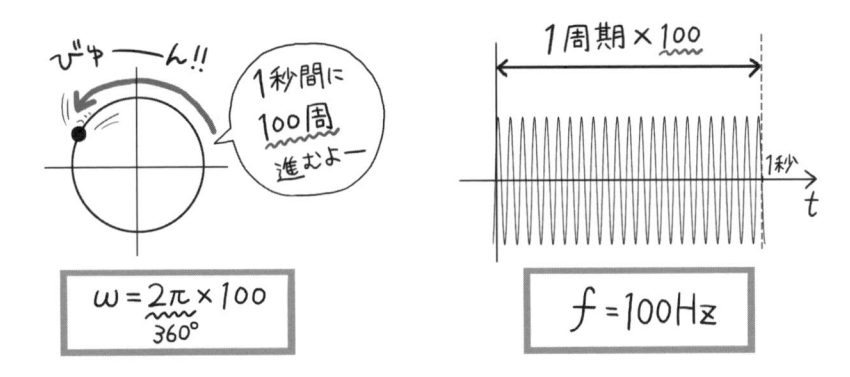

その通り！ 角周波数（角速度）ω と、周波数 f の関係を式にするとこうです。
この **2π** は、円1周 360° を弧度法で表したものですよ〜。

$$\text{角周波数（角速度）}\ \omega = 2\pi f\ \text{[rad/s]}$$

へぇー。ω と f の関係が、こんなにシンプルに表せるんですね。
角速度と**角周波数**、2つの言葉の意味がよくわかりました。

2　交流におけるベクトルの使い方

位相の原因ってなんだろう？

そもそも位相とはなぜ起きるのでしょう？

あ…そういえばなんでですか？

さて…ここまで位相は仕方ないという前提でお話してきましたが

その**位相の原因**とはズバリ！ この子たち

コイルくんと**コンデンサ**くんなのです！

コイル↓

コンデンサ↓

これらは電気回路を構成する部品で、『**素子**（そし）』というものです

なんかいっぱい出てきた～…

そし…ですか

ちなみにこの豆電球みたいな子は**抵抗**くんです

抵抗、コイル、コンデンサの記号と単位はこのようになります

よーく覚えてください！

素子	記号	単位	メモ
抵抗	R	〔Ω〕オーム	「Resistance」のRです。
コイル	L	〔H〕ヘンリー	「COIL」のLです。
コンデンサ	C	〔F〕ファラド	「Condenser」のCです。

じゃーん…

うおお…一気に3つも…

3つもなんて泣きごとを言ってる場合じゃありませんよ青沼さん！

なんせ**コイルとコンデンサが位相を引き起こす犯人**なのですから！

交流の問題を解くためにはこれら**素子の特徴**を把握しなければなりませんっ

事情聴取です！

ポリース！！

けっ…警察！！？

位相の犯人であるコイルとコンデンサ！あとついでに抵抗にも事情聴取をしてまいりましたっ！

資料をどうぞ！ボス！

……！！

しかも俺がボスなのか……！！！

117

コイルの特徴

まずは、コイルくんの身辺調査の報告です。地道な捜査で色々わかりましたよ。

身辺調査って…。

コイルは、モータの中にも入っていて、電流の変化に応じて**起電力（電源電圧）**を発生する役割があります。実は、コイルは『状況の変化が大好き』なのです！
電流を流すと、コイルには**逆起電力**が発生します。
要するに、元の電流とは**逆向き**の電流を新たに発生させちゃうんですよ～！

へえ…！　コイルって、すげー気合いが入った奴なんですね。

はい。この性質が、**位相**の原因となっているのです。こちらご覧ください。

回路	ベクトル（電圧を基準）	波形
コイル $\dot{I}$〔A〕　L〔H〕 $\dot{V}$〔V〕	$\dot{V}$（基準） $\frac{\pi}{2}$〔rad〕 $\dot{I}$　電流は$\frac{\pi}{2}$（90°）遅れる	v, i のグラフ（ωt）

コイルがあると、『電流』が遅れてしまいます。
ものすごーく簡単に言うと、コイルが逆向きの電流を発生させちゃうから、元の電流がなかなか流れられず、遅れちゃうんですよ～。
このような状態を、**電流 i は電圧 v に対して『遅れ位相』**といいます。

また、**コイルの性質**を表す用語が『**インダクタンス**※』です。
(※コイルは英語でinductorインダクタともいいます。~タンスについては、P.122参照)

インダクタンスが大きければコイルの性質※が強く働いて、逆にインダクタンスが小さければコイルの性質は弱くなります。
(※コイルは磁束というものを発生させるなど、色々な性質があります)
インダクタンスは記号L、単位はH(ヘンリー)です。

ああ、さっき、コイルは記号L、単位はH(ヘンリー)って言ってましたけど、正確には、このインダクタンスの大きさを示しているんですね。

そうですー。さらに、もう1つ。ものすごーく大切な用語を覚えましょう。
交流の流れにくさを表す『**リアクタンス**※』です!
(※反作用reactionリアクションと関連付けて覚えましょう。詳しくは、P.122参照)

リアクタンスは、**交流における『抵抗』**のようなものなんです。
記号はX、単位は抵抗と同じΩ(オーム)を使います。

直流ではなんともないコイルとコンデンサ…。
でも、交流では急に、**リアクタンスX**という抵抗を生み出しちゃうわけです。
おとなしそうな顔して、恐ろしい子ですね! コイルとコンデンサ!!

うう…。確かに、抵抗が増えちゃったら計算もややこしそうですよねえ…。

ええ。でも、ここでいいお知らせもあります。実は、**リアクタンスX**〔Ω〕も、**抵抗R**〔Ω〕と全く同じように、オームの法則が使えるのです!

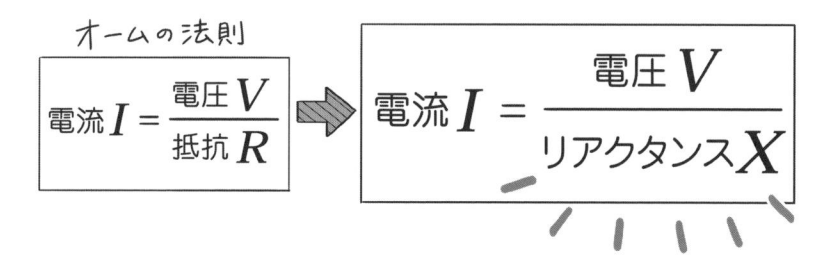

オームの法則
$$電流 I = \frac{電圧 V}{抵抗 R} \Rightarrow 電流 I = \frac{電圧 V}{リアクタンス X}$$

おぉ〜! だったら、オームの法則と同じように、3つのうちの2つがわかれば、残りの1つがわかるってことですね。

はい。そのためにも、これからお話しするリアクタンスの式を覚えてください！
これらを覚えることが、問題を解く…じゃなくて、事件解決への近道です。

まず、コイルのリアクタンスは『**誘導リアクタンス**』といいます。
式にするとこんな感じです。

$$誘導リアクタンス\ X_L = \omega L\ [\Omega]$$
$$= 2\pi f L\ [\Omega]$$

$2\pi f$ … 角周波数
L … コイル（インダクタンス）

※角周波数（角速度）$\omega = 2\pi f$ については、P.115 参照

リアクタンスの記号 X に、コイルやインダクタンスの L をつけて。
誘導リアクタンスの記号は、X_L となっています。

ほへぇーーー…。

ぼーっとしてちゃダメですよ、青沼さんっ！
この式には、重要なポイントが隠されています。**コイルのリアクタンス**、つまり**誘導リアクタンス**は、**周波数に比例**しているのです。

あ、確かに比例関係ですね。
ってことは、周波数が大きいほど、リアクタンスという抵抗が大きくなる…。
ん？ それって、なんだか普通のことのような…。

ふふふ。これは、コンデンサと比較してみるのがいいでしょう。
結論を言うと、**コンデンサのリアクタンス**は、**周波数に反比例**しているのです。

へえっ、そうなんですか。
比例と反比例なんて、全く逆の特徴ですね。

そうなんです。コイルとコンデンサ、その違いをしっかり頭に入れましょう。
それではもう一人の犯人、コンデンサの話に移りますよー！

コンデンサの特徴

次は、コンデンサくんに関する報告書です。
簡単に言うと、コンデンサは**電気エネルギーを貯めて、充電する**ことができます。

じゃあ、やっぱりその性質が、**位相**の原因になっているんでしょうか？

そうです〜！ こちらを見てください。

回路	ベクトル（電圧を基準）	波形
コンデンサ C〔F〕、$\dot{I}$〔A〕、$\dot{V}$〔V〕	$\dot{I}$ が $\dot{V}$（基準）より $\frac{\pi}{2}$〔rad〕進む。電流は $\frac{\pi}{2}$（90°）進む	v, i の波形（ωt）

コンデンサがあると、今度は逆に『電圧』が遅れてしまいます。
電圧は、コンデンサが充電されるにつれて、徐々に上がっていくイメージです。
ちょっと時間がかかってしまい、遅れちゃうんですね。
このような状態を、**電流 i は電圧 v に対して『進み位相』**といいます。

さて、コイルの性質を表す用語は『インダクタンス』でした。
コンデンサの性質を表す用語は、**『キャパシタンス[※]』（＝静電容量、電気容量）**
（※ コンデンサは英語で capacitor キャパシタともいいます）
これは、どのぐらい電気エネルギーを溜められるかを表す量なんですよ。

あっ、収容人数とか容量のことを、キャパって言いますもんね。
ライブ会場のキャパ100人とか。いや、行ったことないですけど…。

私も行ったことないですけどね…。フフフ…。
そんなことより！ この静電容量は記号 C、単位は F（ファラド）です。

ふむふむ。で、このコンデンサも、交流になると**リアクタンス X** という抵抗を生み出すんですよね。

その通りです〜。コイルとコンデンサ、裏で何を考えてるかわかりませんね！
そんなわけで、こちらもしっかり覚えちゃいましょう。
コンデンサのリアクタンスは、『**容量リアクタンス**』。式は、こうですー！

$$\text{容量リアクタンス}\ X_C = \frac{1}{\omega C} = \frac{1}{2\pi f C}\ [\Omega]$$

$2\pi f$：角周波数　　C：コンデンサ（静電容量）

リアクタンスの記号 X に、コイルやインダクタンスの C をつけて。
容量リアクタンスの記号は、X_C となってますね。
確かに、さっき教えてもらった通り、反比例の関係です。

犯人たちの特徴はバッチリですねー。では最後に、抵抗についてお話します。

CHECK！

語尾に『**タンス**』がついている用語は、
何らかの性質を数値で表しているものだと考えてください。

「**インダクタンス**」は、インダクタ（コイルを英語にしたもの）＋タンス
「**キャパシタンス**」は、キャパシタ（コンデンサを英語にしたもの）＋タンス
「**リアクタンス**」は、リアクション（反作用）＋タンスですね。

交流が流れると、コイルとコンデンサに**反作用**が起き「流れにくく」なります。
この「流れにくさ」を数値で表したものが、**リアクタンス**なのです。

抵抗の特徴

さて、抵抗は交流になっても、直流の場合と何も変わりません。
抵抗は R〔Ω〕で表します。位相にも関わりがありません。

裏表がない、いい奴ですね…。

そうなんです。これを見てください。

回路	ベクトル（電圧を基準）	波形
抵抗 R〔Ω〕、$\dot{I}$〔A〕、$\dot{V}$〔V〕	$\dot{I}$ → $\dot{V}$（基準） ※ぴったり重なると見づらいので、ベクトルを少しずらして書きます。	v, i が同位相の正弦波

抵抗くんの特徴は、**位相がない**——つまり『**同相**』であること！
これだけ覚えておけばオッケーです。

はいー。これで3つの素子の特徴が全てわかりましたね。

位相の犯人である**コイル**と**コンデンサ**…。そして、位相には関係ない**抵抗**…。
この3人には、今後も目が離せません。
電気数学界の要注意人物ですよ〜！

交流における素子のまとめ

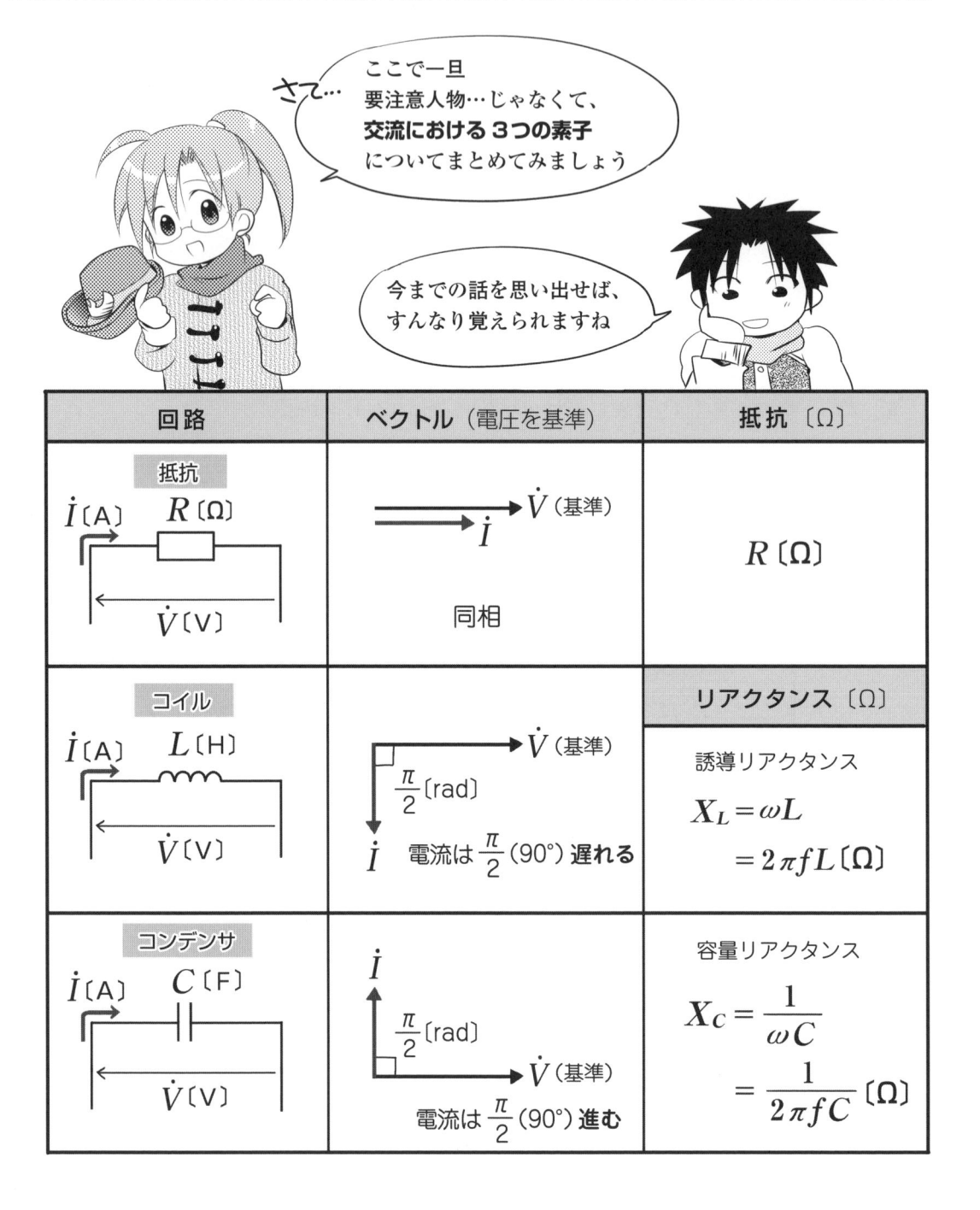

> さて… ここで一旦要注意人物…じゃなくて、**交流における3つの素子**についてまとめてみましょう

> 今までの話を思い出せば、すんなり覚えられますね

回路	ベクトル（電圧を基準）	抵抗〔Ω〕
抵抗 $\dot{I}$〔A〕 R〔Ω〕 $\dot{V}$〔V〕	$\dot{I}$ → $\dot{V}$（基準） 同相	R〔Ω〕
コイル $\dot{I}$〔A〕 L〔H〕 $\dot{V}$〔V〕	$\dot{V}$（基準） $\frac{\pi}{2}$〔rad〕 $\dot{I}$ 電流は $\frac{\pi}{2}$（90°）遅れる	リアクタンス〔Ω〕 誘導リアクタンス $X_L = \omega L$ $= 2\pi f L$〔Ω〕
コンデンサ $\dot{I}$〔A〕 C〔F〕 $\dot{V}$〔V〕	$\dot{I}$ $\frac{\pi}{2}$〔rad〕 $\dot{V}$（基準） 電流は $\frac{\pi}{2}$（90°）進む	容量リアクタンス $X_C = \dfrac{1}{\omega C}$ $= \dfrac{1}{2\pi f C}$〔Ω〕

インピーダンスってなんだろう？

素子のまとめのついでに『**インピーダンス**』も覚えちゃいましょう。
インピーダンスの記号はZで、インピーダンスZといいます。

Zって、強そうですね…。なんか難しそう…。

インピーダンスの正体は、とっても単純ですから安心してください。
インピーダンスは、抵抗とリアクタンスを合計したものなのですー。

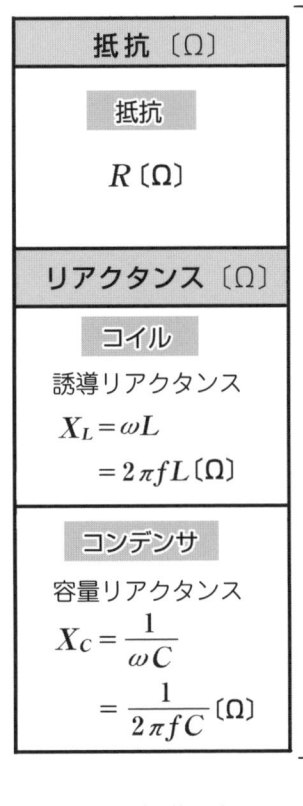

抵抗〔Ω〕
抵抗 R〔Ω〕
リアクタンス〔Ω〕
コイル 誘導リアクタンス $X_L = \omega L = 2\pi f L$〔Ω〕
コンデンサ 容量リアクタンス $X_C = \dfrac{1}{\omega C} = \dfrac{1}{2\pi f C}$〔Ω〕

抵抗Rと
リアクタンスXの合計

インピーダンスZ
単位はもちろん〔Ω〕

な、なんだ。ホントに簡単ですね。
つまり、インピーダンスZは、**交流回路における抵抗の合計**ってことかぁ。

その通りです。「インピーダンスZを求めよ」なんて問題も、よくありますよ。
近いうちに解いてみましょうね。楽しみです～！

125

位相を考慮してベクトルを使おう

では、これからとーっても大切な話をしますよ。
私たちは交流における素子の働きを、**1つずつ**学んできましたよね〜。
でも、これは基礎に過ぎないのです。実際の電気回路の問題では、3つの素子は**いくつか組み合わさって出てきます**。こんな感じに！

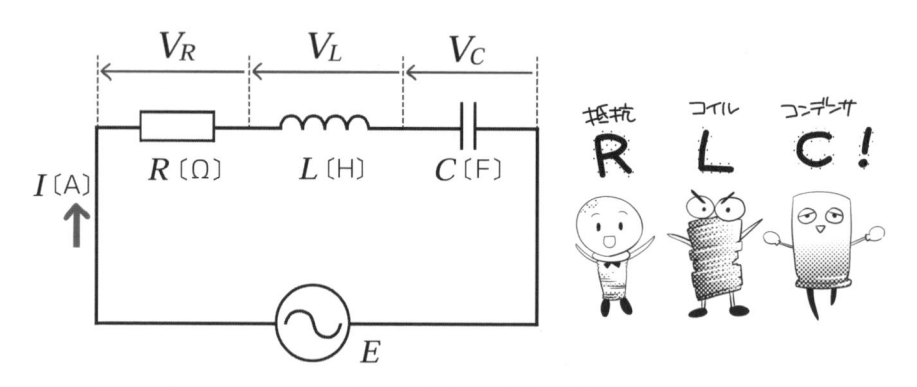

> 交流なので、電源電圧 e、電流 i、電圧降下 v_R v_L v_C と小文字にしても良いです。

うおっ！！

これは『**RLC直列回路**』といいます。
その名の通り、抵抗 R、コイル L、コンデンサ C が直列接続されています。
電源電圧 E があり、電圧降下 V が3種類あるところは、キルヒホッフ第2法則で見た回路（P.62参照）に似ていますが…、実は大違い！
直流電源ではなく、交流電源なので、難易度が全く違ってくるのです。

例えば、電源電圧 E を求める場合にも、

$$V_R + V_L + V_C = E \quad \text{（キルヒホッフ第2法則より）}$$

この式に単に数字を代入して、足しただけでは正しい答えにならないのです。
どうしてだか、わかりますか？

えーと、これは**交流**だから、**コイルやコンデンサには、位相がある**はず…。
だから、実際に計算するときには、位相を考慮に入れなきゃいけない…。
位相ってのは、つまり、**ベクトル**の方向なわけで…。うーん。

そう、ポイントは**ベクトルの使い方**なんです〜。
交流回路で、コイルやコンデンサを扱うと位相が出てきます。
ベクトルの方向が、バラバラになっちゃうんですね。ほら！

それぞれの素子における電圧と電流の関係を表したベクトル図
（今回は電圧を求めたいので、**電流を基準**にしています）

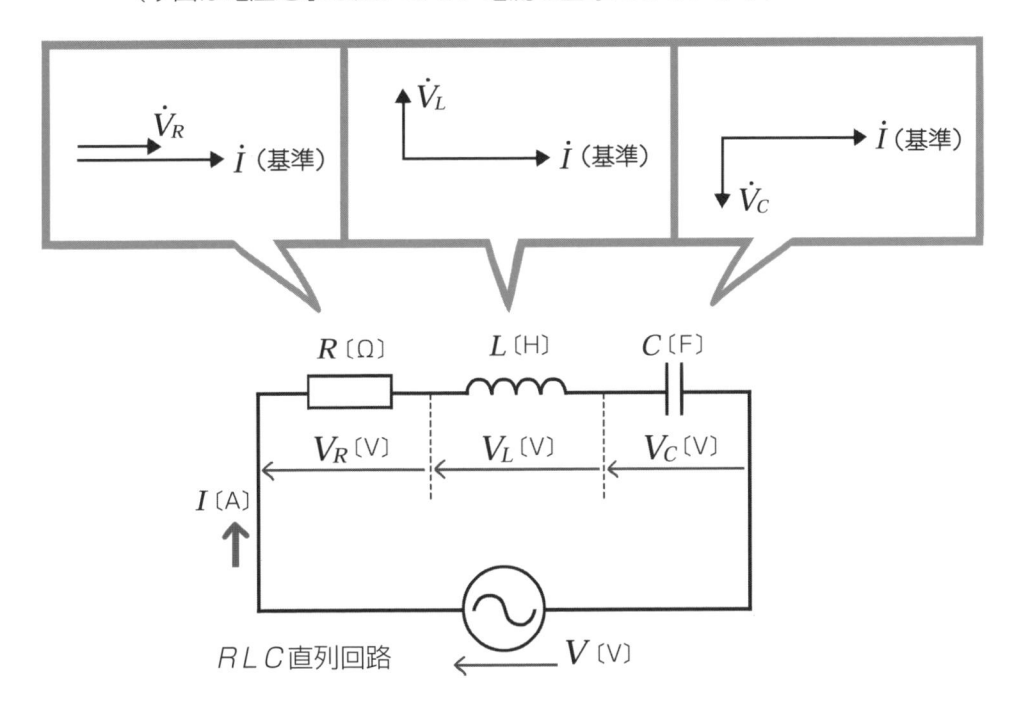

ふむふむ。さっきまでとは違って**電流を基準**にしたベクトル図ですね。
うーん…。確かに、ベクトルの方向がバラバラです。どうしたらいいんだろ…。

考え方は、簡単です。
数字を代入する前に、まず、これらの**ベクトルを足してあげたらいい**んです。

あっ、そういえば、ベクトルの足し算ってありましたよね。
確か「**ベクトル和**」とかなんとか、高校で習ったような…。

そうそう、それですー。
このあと、この3つのベクトルが足されている様子をお見せします。
ベクトルの使い方をしっかり思い出してくださいね。

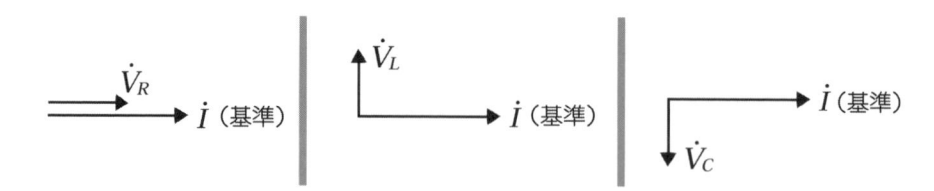

そんなわけで、3つのベクトルを配置して、ベクトル和を求めたのが下の図です。**平行移動**と**ベクトルの合成**が重要なのですが…。青沼さん、わかりますか？

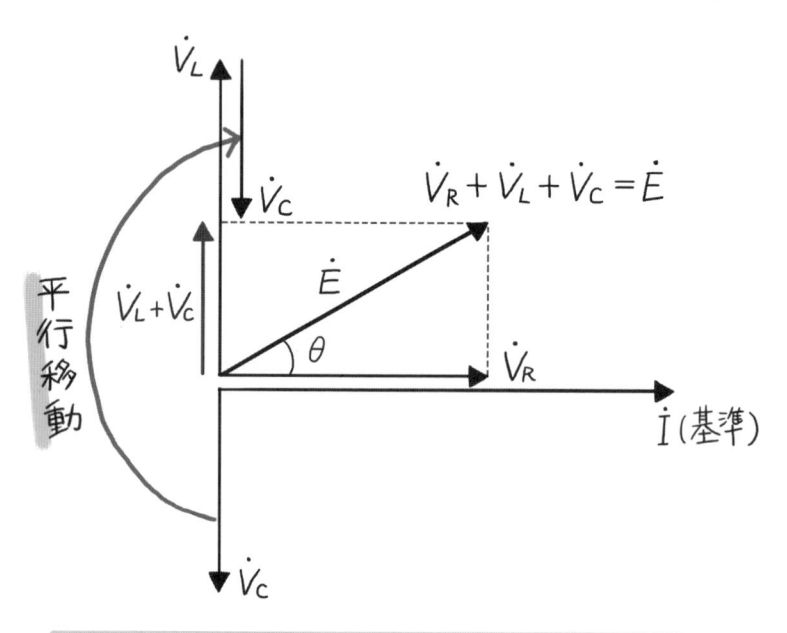

電圧と電流の関係を表したベクトル図

ベクトルなら少しは覚えてるんで、なんとかなりそうです。えーと…。

【STEP1】縦軸で、真逆の方向を向いている $\dot{V}_L$ と $\dot{V}_C$ を
1つのベクトルにしたい。そのために、$\dot{V}_C$ を平行移動。

【STEP2】$\dot{V}_L + \dot{V}_C$ が出来た！

【STEP3】$\dot{V}_L + \dot{V}_C$ と、$\dot{V}_R$ という2つのベクトル和を求めたい。

【STEP4】平行四辺形で、対角線をとり、$\dot{V}_L + \dot{V}_C + \dot{V}_R$
これで3つのベクトルの合成が出来た。…って感じでしょうか。

その通りです～！ ベクトルは平行移動が大事。
そして、ベクトル和を求める際には、**対角線を活用**しましょう。

さて、ここまで来たら、この2つの式の違いもわかりますね。

$$V_R + V_L + V_C = E \quad \text{単純に足しただけ} \to \text{交流の場合は、ダメ！}$$

$$\dot{V}_R + \dot{V}_L + \dot{V}_C = \dot{E} \quad \text{ベクトルで位相を考慮に入れている} \to \text{OK!}$$

はい！ 似ているように見えても実は全然違います。
ベクトルによって、位相も考慮しているかどうか。
これが**交流の問題**を解く上でのポイントってことですね。

そうですー。交流の問題のためには、ベクトルが欠かせないのです。
ちなみに、電気数学の問題を解く際には、**複素ベクトル**を用いることが多いです。
複素ベクトルを使うと、色々と都合がよくとっても便利なんですよ〜。

へえ。複素ベクトルって、複素平面上に書いたベクトルで j のやつですよね？
あれがそんなに便利なんですか？

うふふ。詳しくは、複素数の際にお話します。
とにかく今の青沼さんは、ベクトルの扱いをマスターしてくださいね。
ちゃんと覚えないと〜、逮捕しちゃいますよっ！

（警官ごっこ…、まだ続いてたのか…！）

…………。

（恥ずかしくなって落ち込んでるし…！！）

家電製品に欠かせないもの？

は――…
しかし本当
厄介な奴らですね…
コイルとコンデンサって
いうのは
**おまえらのせいで
位相が生まれて
ややこしくなるんだーっ**

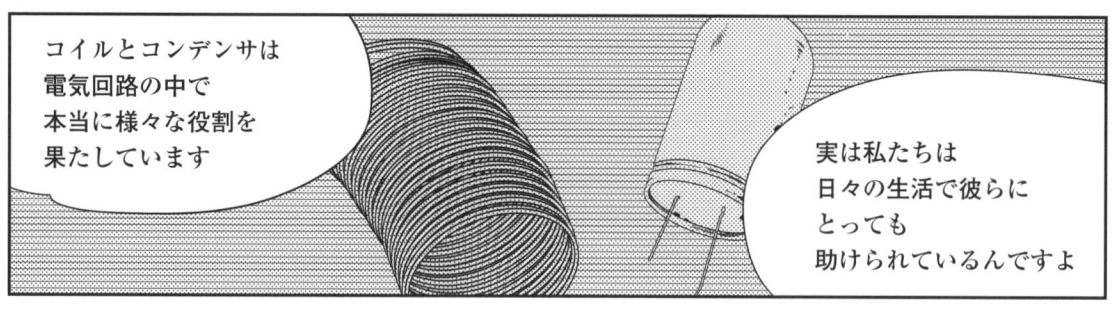

確かに計算はややこしいし
手間にもなりますが…

コイルとコンデンサは
電気回路の中で
本当に様々な役割を
果たしています

実は私たちは
日々の生活で彼らに
とっても
助けられているんですよ

私たちは、
色々な家電製品に囲まれて
暮らしていますが…

もしこれらが
無くなってしまったら
困ってしまいます…

コイルとコンデンサが
無くなってしまったら、
単純に光を出すもの※1
単純に熱を出すもの※2
しか残らなくなってしまいます

不便ですよね～？

そうか…コイルは
モータに入ってるんでしたね
（P.22 参照）

モータが入ってない
家電製品となると
限られてきますもんねー…

※1 蛍光灯ではなく白熱電球に限ります。　　※2 温度調節が出来ないものに限ります。

130　第3章　三角関数とベクトル

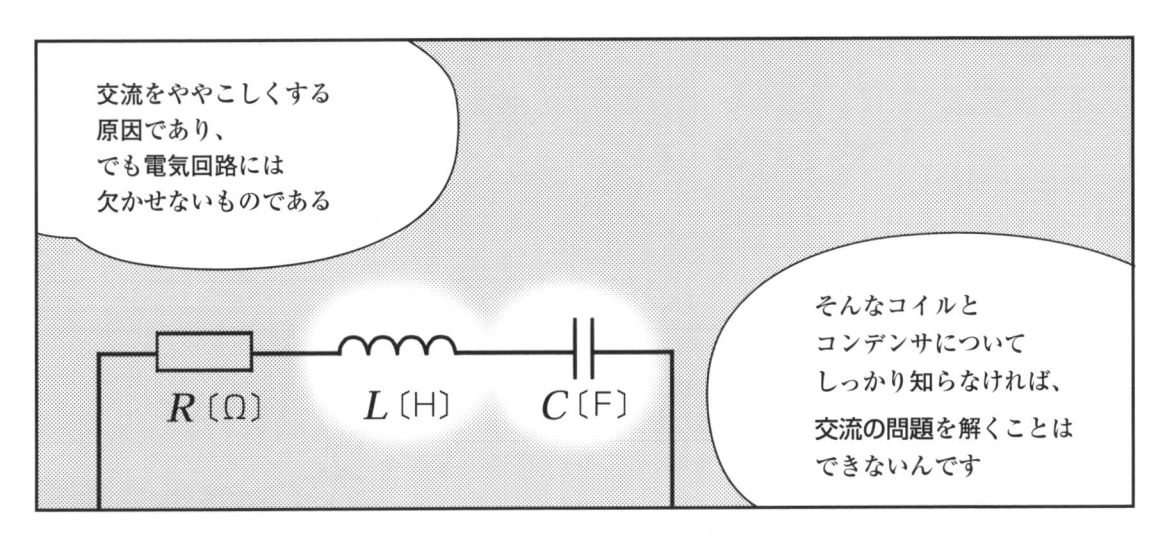

交流をややこしくする原因であり、でも電気回路には欠かせないものである

$R\,[\Omega]$　$L\,[H]$　$C\,[F]$

そんなコイルとコンデンサについてしっかり知らなければ、**交流の問題を解くことはできないんです**

それこそ電気のある生活をしていくには、欠かせない存在ってことですね…

そう言われてみると親しみが出てくるというか…ありがたみを感じるというか…

それになんか見慣れてきたらかわいく見えるし…

かわいい？

何言ってるんですか青沼さん

かわいいのはデンくん他にかわいいものなんてありますか？

デ、デンくん至上主義…！！

……

力率

ではこれからは
『電力』のお話です

電力！

電力を求める式は
なんでしたか？

電圧×電流ですね（P.19参照）
…ってあれ？

そういえば電力についての
話ってはじめてですね

ええ…

しかもこれからお話するのは
私たち電力会社にとって
ちょっと恐ろしい話なんです…

お、恐ろしい…！！？

例えば、あなたが
おうちで使っている
家電製品…
モータ（コイル）が
使われてますね？

はい…
洗濯機とか
冷蔵庫とか

使ってますねぇ…

その家電が…
電源から引いてる
電力…

実は途中で
少し減ってるん
ですよ…！！

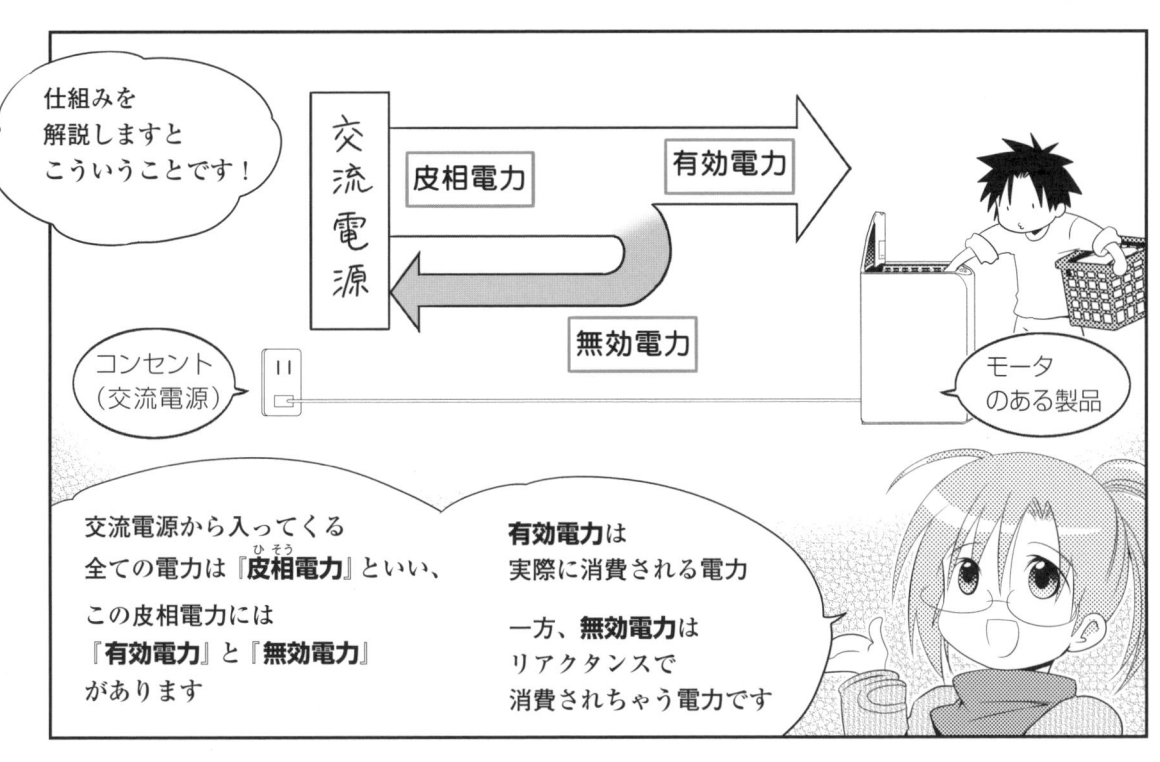

どっ…どどど どういうことですか…！？	もう言葉 そのままですよ
	ズバリ 『無効電力』 というものですっ
ふふふ…	あはっ

仕組みを 解説しますと こういうことです！

交流電源 ← 皮相電力 / 有効電力 → モータのある製品
← 無効電力

コンセント (交流電源)

交流電源から入ってくる 全ての電力は『皮相電力(ひそう)』といい、 この皮相電力には 『有効電力』と『無効電力』 があります

有効電力は 実際に消費される電力

一方、無効電力は リアクタンスで 消費されちゃう電力です

リアクタンスは さっきお話しましたね コイルとコンデンサが 生み出す抵抗です

この無効電力も電気代に 含まれてしまうのが 本当に心苦しくて… ホントもう…位相が生んだ 最大のデメリットです…

あら？ 青沼さん
珍しいですね

「位相…なんて奴！」とか
言わないんですか？

………

いや…それよりなんか
その無効電力の姿が
自分に重なってしまって…

怒るに怒れないと
いうか…

？？

学校の前まで来たけど
勉強しないでだらだら帰るというか…
その姿がなんとなく…

ああ〜なるほど
捉え方は近いです

無効
SCHOOL
帰ろ…
よーし
やるでーっ
有効

全ての合計が 皮相

ちゃんと授業を受けている方が
有効電力ですね！
うんうん！

全ての電力（**皮相電力**）の中で
実際に消費された電力（**有効電力**）の割合を
『**力率**』といいまして
（りきりつ）
これは高ければ高いほど良いです

なのでこの見方はあながち
間違ってないと
いえますね〜わかりやすい〜

小さくぐさあ

そ、
そうですか…

自分で言っといて
耳がいたい…

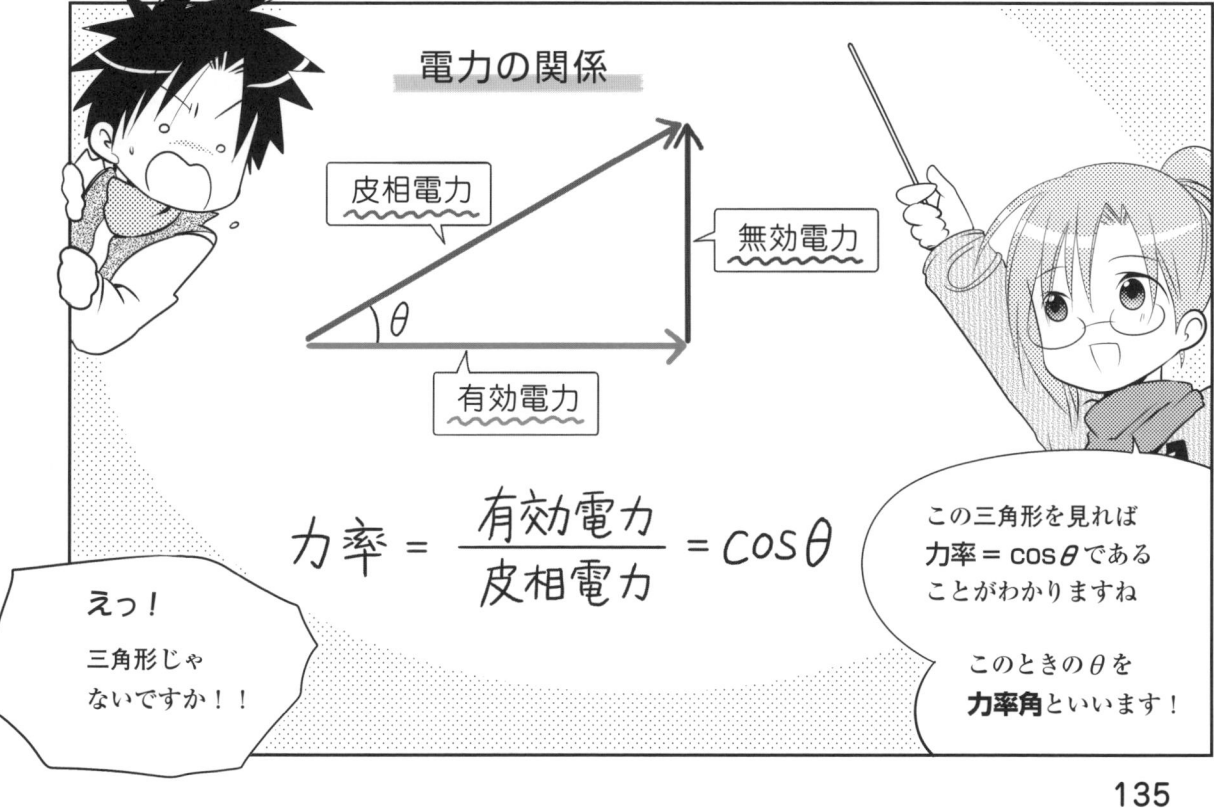

青沼さん青沼さん
元気出してくださいっ

大事なのは
ここからですよっ！

実はこの
有効電力、無効電力…
そして**皮相電力**の関係は

青沼さんの得意な
ベクトル図で表すことが
できるんですよ！

ベクトル…？

はいっ
ご覧ください！

電力の関係

皮相電力

無効電力

θ

有効電力

$$力率 = \frac{有効電力}{皮相電力} = \cos\theta$$

この三角形を見れば
力率 = $\cos\theta$ である
ことがわかりますね

このときのθを
力率角といいます！

えっ！
三角形じゃ
ないですか！！

力率 = cos θ は、
「0 から 1」または
「0％から100％」で表すよ〜

力率 0.80 以上（80％以上）を
「力率が良い」っていうんだ〜♪

<力率と cos θ の対応>
（この表は三角比で求められます。P.140参照）

角度 θ	0°	30°	45°	60°	90°
cos θ	1	$\frac{\sqrt{3}}{2}$ ≒ 0.87	$\frac{1}{\sqrt{2}}$ ≒ 0.70	$\frac{1}{2}$ = 0.5	0
力率	1 (100％)	0.87 (87％)	0.70 (70％)	0.5 (50％)	0 (0％)

← 力率良い 80％以上

つまり**力率角**が
およそ 30°以下だと
力率がいい…
無駄が少ないって
ことですか？

そうですねー
ここで重要なポイントですが、
実は、**力率角は、位相角と同じ値**
なのです

なので、**位相角**が 30°以下だと
力率が良い…ともいえます

そっかー
ベクトルでねー

ちなみに力率を良くすることを
『**力率改善**』といいます

力率改善には
コンデンサが大きな役割を
果たすのですが…

そうかそうか
ベクトルか
ふむふむ☆

…もうちょっと
コンデンサくんには
触れないでおきましょうね…

（※詳しくは第5章
P.224以降で説明します）

ほほー

無効電力が生まれる仕組み

それでは、どうして位相によって無効電力が生まれるのかを説明しましょう。
『電力＝電圧×電流』を思い出しつつ、この図を見てください。

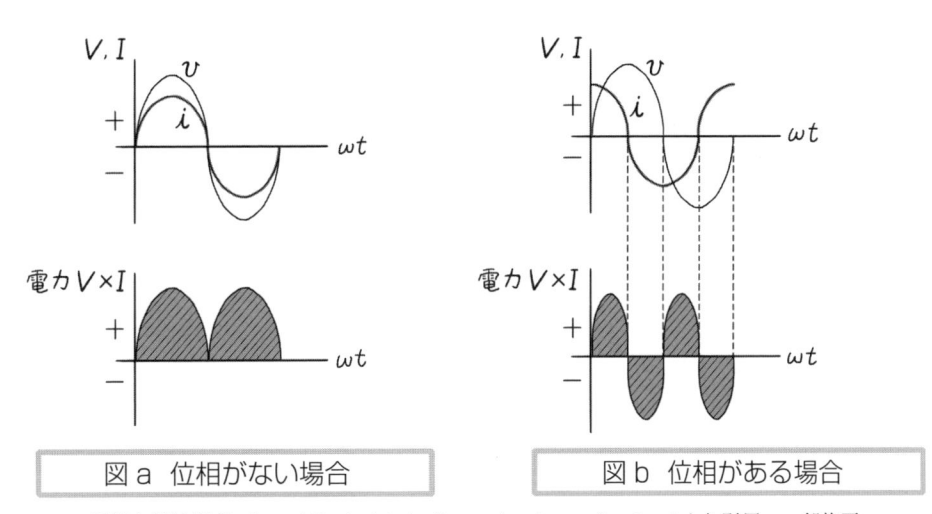

図a 位相がない場合

図b 位相がある場合

電気主任技術者　http://denk.pipin.jp/jitumu/yuukoumukou.html より引用・一部修正

図aは、位相がない場合です。
電力（プラス値）＝電圧（プラス値）×電流（プラス値）または
電力（プラス値）＝電圧（マイナス値）×電流（マイナス値）となり、
電力は常にプラスになります。

ところが、図bのように位相があると…。
プラスとマイナスが入り乱れ、電力がマイナス値になっている部分もあります。
この**マイナスの電力**が、まさに**無効電力**ってわけなんです～。

ほぉー！　なんか、理屈自体はものすごく単純なんだなぁ。

この図から、「位相が小さいと、無効電力も小さい」様子もわかりますよね。
また、「無効電力が小さいと、力率が良くなる」わけですから…。

あっ、つまり「**位相が小さいと、力率が良くなる**」ってことですね。
位相と力率の関係も、よくわかりました！

だ…
大丈夫ですか
風邪ひく前に
今日はもう…
あとはちょっと
休憩してから
ふくそ…
くしゅっ!
…さてこれで
三角関数とベクトルは
終わり…
くしゅんッ
いいえっ、今日中に！
今年中に複素数まで
お話しておきたいんです！
三角関数・ベクトル・複素数は
相互関係がありますので
間をおかずにおはなししたほうが
わかりました
わかりました
わかりましたっっ！！
あわ
あわ
あわ
ふーっ
平気
平気っっ
電気トークになると
熱くなって
周り見えなく
なるんだなー…
ちーんっ
…ホントこの人

…じゃ、うち近いんで
うちでやりませんか？
…青沼さんが よければ…
いいんですか？
はッ
！
ついに言っちまったよ 俺～～～～っ…！！！
はい…
じゃ 行きましょうー
わぁぁ… わああぁ…！！
や、あの… お…俺は別に…
そうですかー
あたふた

～ 三角比・三角関数の公式 ～

電気数学において、三角関数は欠かせない存在です。
交流は sin カーブですし、力率角（位相角）は $\cos\theta$ でしたね。
交流の問題を解く際には、三角関数の計算も必要になってきます。

ですが、ここで注意。三角関数の計算はちょっと独特なのです。
例えば、$\cos(\alpha+\beta)$ を、$\cos\alpha + \cos\beta$ とするのは間違い！！
正しくは、$\cos(\alpha+\beta) = \cos\alpha\cos\beta - \sin\alpha\sin\beta$ という式になります。
このような、三角関数の大事な公式などを、まとめて紹介します。

【三角比】 直角三角形の辺の長さの比から、以下のようなことがわかる。

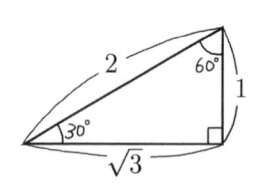

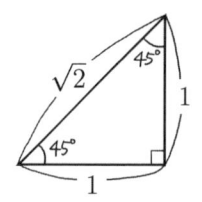

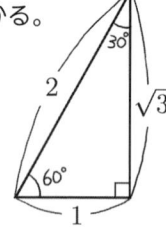

角度(°)	30°	45°	60°
sin	$\sin 30° = \dfrac{1}{2}$	$\sin 45° = \dfrac{1}{\sqrt{2}}$	$\sin 60° = \dfrac{\sqrt{3}}{2}$
cos	$\cos 30° = \dfrac{\sqrt{3}}{2}$	$\cos 45° = \dfrac{1}{\sqrt{2}}$	$\cos 60° = \dfrac{1}{2}$
tan	$\tan 30° = \dfrac{1}{\sqrt{3}}$	$\tan 45° = \dfrac{1}{1} = 1$	$\tan 60° = \dfrac{\sqrt{3}}{1} = \sqrt{3}$

【三平方の定理】
ピタゴラスの定理ともいう。

$$a^2 + b^2 = c^2$$

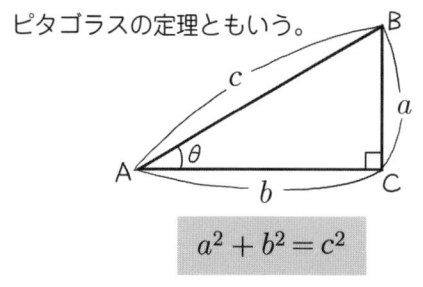

【よく使う式、相互関係の式】
三角関数どうしの関係がわかる。

$$\sin^2\theta + \cos^2\theta = 1$$

$$\tan\theta = \frac{\sin\theta}{\cos\theta}$$

【加法定理の公式】 必ず覚えておくべき公式。これをもとに他の公式も導き出せる。

$$\sin(\alpha \pm \beta) = \sin\alpha\cos\beta \pm \cos\alpha\sin\beta$$

覚え方「さいた・こすもす、こすもす・さいた」
　　　　sin →「さいた」　cos →「こすもす」

$$\cos(\alpha \pm \beta) = \cos\alpha\cos\beta \mp \sin\alpha\sin\beta$$

覚え方「こすもす・こすもす、さかない・さかない」
　　　　$-\sin\alpha\sin\beta$ →「さかない（マイナスなので）」

tan の公式は代入により導き出す。

$$\tan(\alpha + \beta) = \frac{\tan\alpha + \tan\beta}{1 - \tan\alpha\tan\beta} \quad \Leftarrow \quad \tan(\alpha+\beta) = \frac{\sin(\alpha+\beta)}{\cos(\alpha+\beta)} \text{を代入}$$

$$\tan(\alpha - \beta) = \frac{\tan\alpha - \tan\beta}{1 + \tan\alpha\tan\beta} \quad \Leftarrow \quad \tan(\alpha-\beta) = \frac{\sin(\alpha-\beta)}{\cos(\alpha-\beta)} \text{を代入}$$

【2倍角の公式】 加法定理において $\alpha = \beta$ とすることで、2倍角の公式が得られる。

$$\sin 2\alpha = 2\sin\alpha\cos\alpha \quad \Leftarrow \quad \sin(\alpha+\alpha) = \sin\alpha\cos\alpha + \cos\alpha\sin\alpha$$
$$\cos 2\alpha = \cos^2\alpha - \sin^2\alpha \quad \Leftarrow \quad \cos(\alpha+\alpha) = \cos\alpha\cos\alpha - \sin\alpha\sin\alpha$$
$$\qquad\quad = 2\cos^2\alpha - 1 = 1 - 2\sin^2\alpha \quad \Leftarrow \quad \sin^2\alpha = 1 - \cos^2\alpha,\ \cos^2\alpha = 1 - \sin^2\alpha$$

【半角の公式】 2倍角の公式より、半角の公式が得られる。

$$\sin^2\frac{\alpha}{2} = \frac{1 - \cos\alpha}{2} \quad , \quad \cos^2\frac{\alpha}{2} = \frac{1 + \cos\alpha}{2}$$

【三角関数の合成公式】 加法定理を用いて、証明することもできる。

$$a\sin\theta + b\cos\theta = \sqrt{a^2 + b^2}\sin(\theta + \alpha)$$

ただし、
$$\cos\alpha = \frac{a}{\sqrt{a^2 + b^2}} \quad , \quad \sin\alpha = \frac{b}{\sqrt{a^2 + b^2}}$$

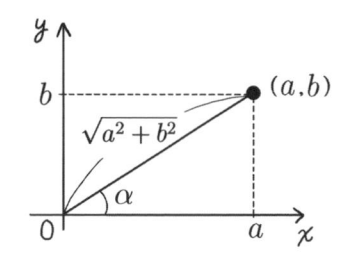

141

【3倍角の公式】 加法定理と2倍角の公式より導き出せる

$$\sin 3\alpha = 3\sin\alpha - 4\sin^3\alpha$$
$$\cos 3\alpha = 4\cos^3\alpha - 3\cos\alpha$$

$$
\begin{aligned}
\sin 3\alpha &= \sin(\alpha + 2\alpha) \\
&= \sin\alpha\cos 2\alpha + \cos\alpha\sin 2\alpha \quad \leftarrow \text{加法定理} \\
&= \sin\alpha(1 - 2\sin^2\alpha) + \cos\alpha \cdot 2\sin\alpha\cos\alpha \quad \leftarrow \text{2倍角} \\
&= \sin\alpha(1 - 2\sin^2\alpha) + 2\sin\alpha(1 - \sin^2\alpha) \\
&= 3\sin\alpha - 4\sin^3\alpha
\end{aligned}
$$

- -

$$
\begin{aligned}
\cos 3\alpha &= \cos(\alpha + 2\alpha) \\
&= \cos\alpha\cos 2\alpha - \sin\alpha\sin 2\alpha \quad \leftarrow \text{加法定理} \\
&= \cos\alpha(2\cos^2\alpha - 1) - \sin\alpha \cdot 2\sin\alpha\cos\alpha \quad \leftarrow \text{2倍角} \\
&= \cos\alpha(2\cos^2\alpha - 1) - 2(1 - \cos^2\alpha)\cos\alpha \\
&= 4\cos^3\alpha - 3\cos\alpha
\end{aligned}
$$

> 後々お話する**オイラーの公式**を使って、加法定理の式を導いたり3倍角の公式を証明したりすることもできます

オイラーの公式を用いた、3倍角の公式の証明（計算に慣れたらやってみよう）

$e^{jx} = \cos x + j\sin x$ より

$$
\begin{aligned}
e^{j3x} &= \cos 3x + j\sin 3x = (\cos x + j\sin x)^3 \quad (A+B)^3 = A^3 + 3A^2B + 3AB^2 + B^3 \\
&= \cos^3 x + j3\sin x\cos^2 x - 3\cos x\sin^2 x - j\sin^3 x \\
&= \{\cos^3 x - 3\cos x\sin^2 x\} + j\{3\sin x\cos^2 x - \sin^3 x\}
\end{aligned}
$$

$(\sin^2 x = 1 - \cos^2 x,\ \cos^2 x = 1 - \sin^2 x$ より$)$

$$
\begin{aligned}
e^{j3x} &= \{\cos^3 x - 3\cos x(1 - \cos^2 x)\} + j\{3\sin x(1 - \sin^2 x) - \sin^3 x\} \\
&= (4\cos^3 x - 3\cos x) + j(3\sin x - 4\sin^3 x) \\
&= \cos 3x + j\sin 3x
\end{aligned}
$$

この式の実部より
$$\cos 3x = 4\cos^3 x - 3\cos x$$

虚部より
$$\sin 3x = 3\sin x - 4\sin^3 x$$

加法定理を自力で導き出そう！（これは便利！こすもすの覚え方を忘れても大丈夫）

$$
\begin{aligned}
e^{j(x+y)} &= e^{jx} \cdot e^{jy} = \cos(x+y) + j\sin(x+y) \quad \text{①} \\
&= (\cos x + j\sin x)(\cos y + j\sin y) \\
&= \cos x\cos y - \sin x\sin y + j(\cos x\sin y + \sin x\cos y) \quad \text{②}
\end{aligned}
$$

①と②の実部より
$$\cos(x+y) = \cos x\cos y - \sin x\sin y$$

虚部より
$$\sin(x+y) = \cos x\sin y + \sin x\cos y$$

第4章

複素数

ど…どうぞ…

パチン

電気がついてますね…
あの時とは大違い…

感動…

そ、その節は
お世話になりました…

…………

それじゃ
おじゃましますね～

うっわ!!!
どうしよう

母ちゃん以外で
初めてだよ！
人をうちにあげたの!!

ど…どっか
変なところか
ないよな

見られたら
引かれるものとかっ…

ぱら…
ぱら…

？

？

？ どうしました
青沼さん
さっそく
始めましょう！
今日やる**虚数・複素数**は
電気数学で一番おもしろい
部分なんですよー！
……
あー…そっか
橘さんにとっては
家庭教師にきたような…
家庭訪問にきたような
感じなんだよな
はは…
むしろ俺
なに意識しちゃってん
だっつー話だよ…
…ホントだよ
おい
何を気にしてたんだ
俺は？
？
青沼さん？
はじめますよー？
あ、は、はい
すみません！！
はじめましょう
そうしましょう！！

1 複素数の性質

虚数は味方！

「**虚数 j**」と「**複素数**」については最初の方でお話したのですが…
覚えてますか？ 青沼さん

複素数…

虚数
$$j^2 = -1$$
$$j = \pm\sqrt{-1}$$

複素数
$$a + jb$$

あぁ…ありましたね こんなの…

確か j ってなんか正体不明な奴が…

そうです それですー

虚数 j くんは確かに敵か味方かわからないところが不穏だったかもしれません…

しかし実はですね！

虚数 j や複素数は、電気に関する計算をとーってもラクにしてくれる！正義の味方なのです！

これから虚数 j くんの持つおもしろい性質をご紹介しましょう〜！

はははは

ほ！…

虚数の掛け算

まずは、ちょっと簡単な計算をしてみましょう。
実数1に対して、jを順々に掛けていくと、こんなふうになっちゃいます。

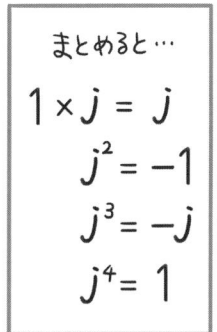

$$1 \times j = j$$
$$j \times j = j^2 = -1$$
$$j^2 \times j = j^3 = -j$$
$$j^3 \times j = j^4 = j^2 \times j^2 = 1$$

まとめると…
$$1 \times j = j$$
$$j^2 = -1$$
$$j^3 = -j$$
$$j^4 = 1$$

ふむふむ。まあ、確かにこうなりますね。

さて、おもしろいのはここからです！
今行った掛け算を**複素平面**に表してみましょう！（複素平面については、P.48参照）
じゃーん！

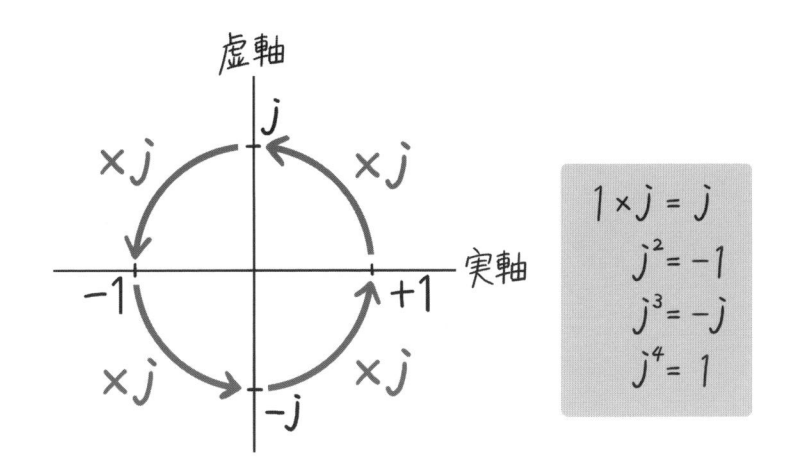

複素平面上で、jを順々に掛けていく様子

ええええ！！？　なんか**反時計まわりに回転**しちゃってますよ！

そうなんです。
実は、**虚数 j の掛け算とは、反時計まわりの 90°の回転のこと**なのです！

……か、掛け算が、回転……？？
普段使ってる実数の掛け算とは、全然違う世界だなあ…。

確かに、慣れない考え方かもしれません。
でも、この複素平面で色々おもしろいことがわかるんですよ。
例えば、私たちは、**マイナスかけるマイナスは、プラス**と習いましたよね？

う…。確かに、そう覚えてきました。
$-1 \times -1 = +1$ のハズ…。それが数学の常識のハズ…。
でも、よく考えればわけわかんない話ですよね。うーん…。

そんなに悩む必要はありません。
複素平面上なら、**マイナスかけるマイナスが、プラスになる様子**もしっかり見えちゃいますよ〜。ほらっ！

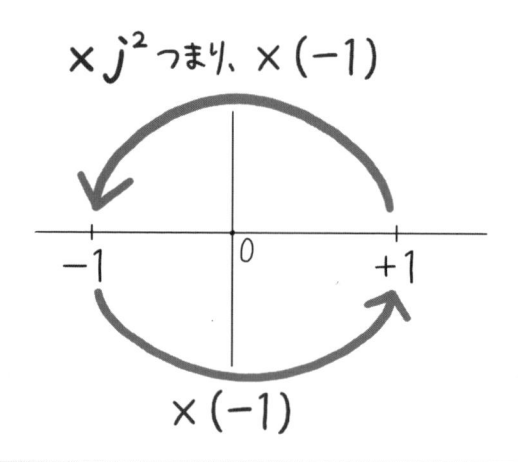

$$\times j^2 \text{ つまり、} \times (-1)$$

$$\times (-1)$$

複素平面上で、j^2 を掛けていく様子

へぇーー。
確かに、マイナスかけるマイナスで、一周まわってきて、プラスになってる…。
反対×反対＝もとに戻るって感じですね！
あと『**なぜ j は 2 乗したらマイナス 1 になるのか？**』もこの図で、わかります。
おもしろいですねえ。

うふふ。このように虚数や複素平面は、**数学的にしっかり成り立っている画期的な考え方**なのです。

ほぉー。
なんか手品みたいだ…。

ではでは、もう少し手品をお見せしましょう。
今度は、実数1に対して、j ではなく「$-j$」を順々に掛けていきましょう。
すると、こうなります。

$$1 \times -j = -j$$
$$(-j)^2 = -1$$
$$(-j)^3 = +j$$
$$(-j)^4 = +1$$

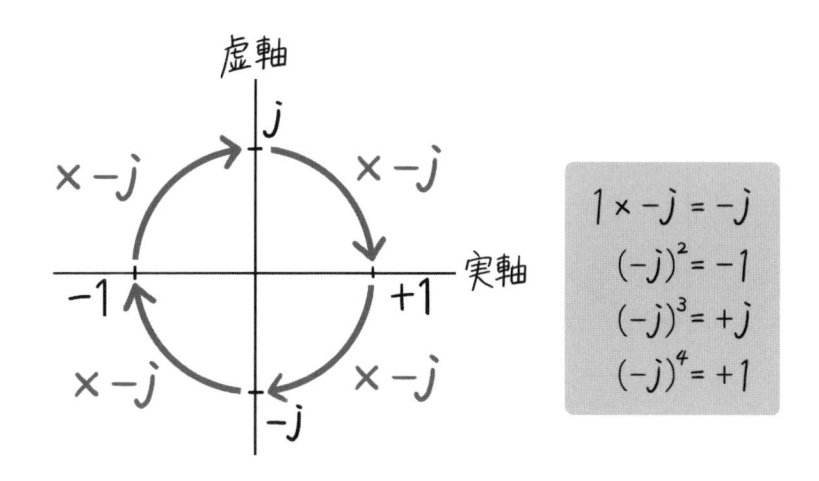

複素平面上で、$-j$ を順々に掛けていく様子

今度は、さっきとは逆…！
時計まわりの90°の回転ですか！！

そうです。この**掛け算による90°回転が、虚数 j のおもしろい性質です。**
そしてこの性質が、電気数学を扱う上で、非常に役立つのです。

j を掛けたら反時計まわりの回転。$-j$ を掛けたら時計まわりの回転…。
これが役に立つんですか？
うーん、頭の中も、ぐるぐるしてきました…。

虚数と位相の関係

さて、虚数の掛け算と回転について重要なポイントをまとめるとこうなります

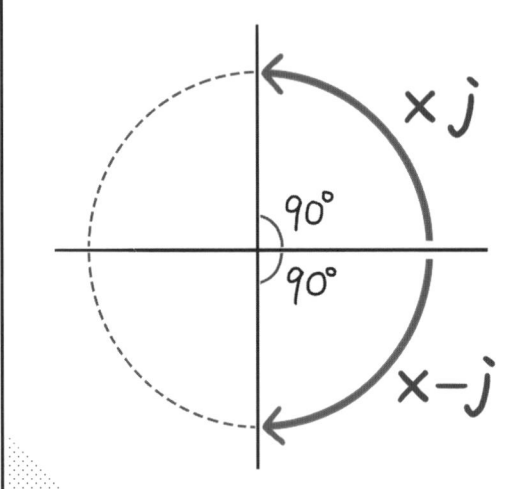

j を掛ける	$\to \dfrac{\pi}{2}(90°)$ 進む
$-j$ を掛ける	$\to \dfrac{\pi}{2}(90°)$ 遅れる

反時計まわりを進む、時計まわりを遅れると表現してみました

$\pi/2$ [rad]…弧度法ですね…

ん? なんかこの感じなんか覚えがあるような

90°進むとか…
90°遅れるとか…

あ

位相だ!
位相をベクトルで表した時にそんな話してましたよね!

正解でーす!
ではこちらをご覧ください!

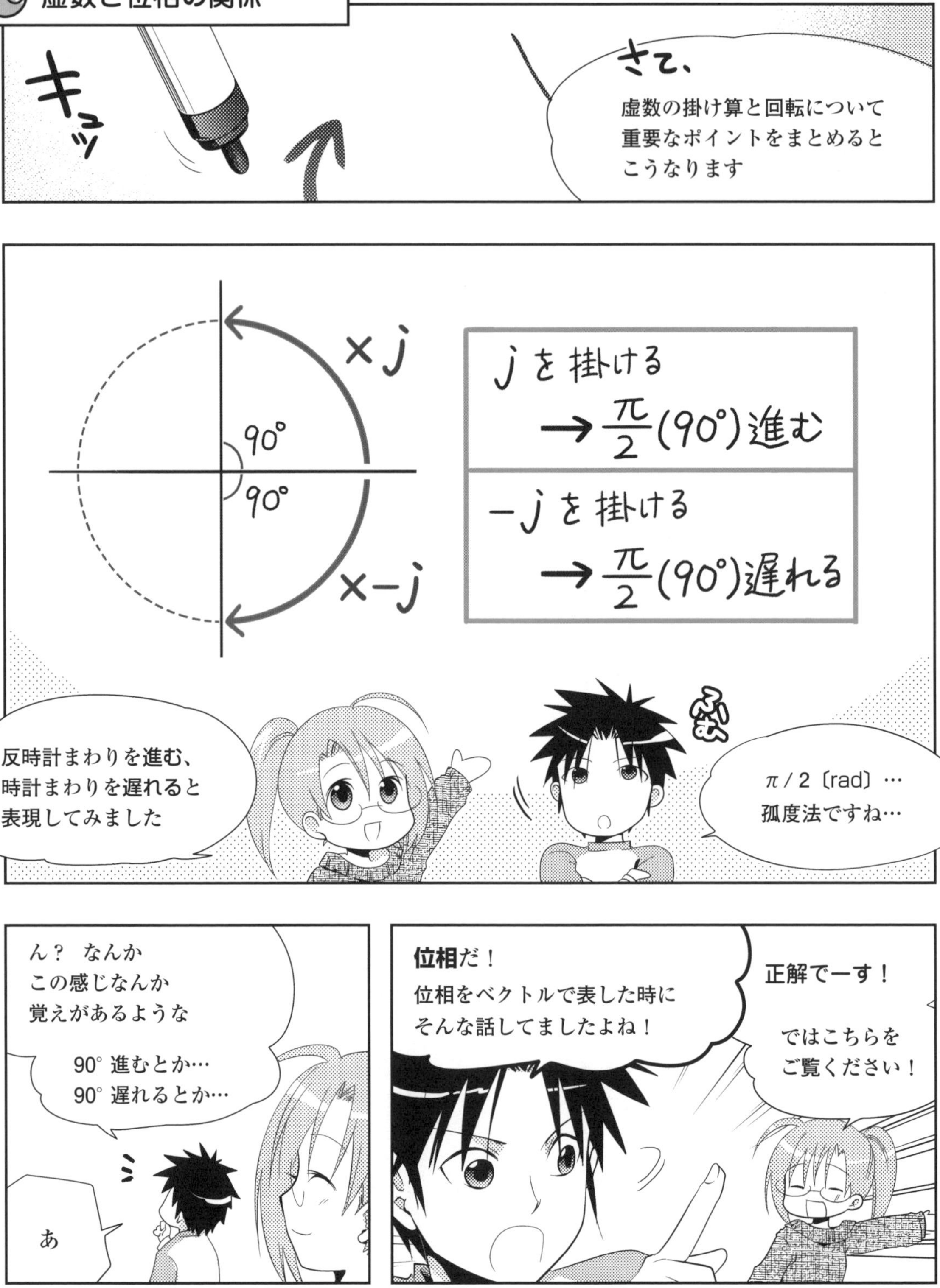

実は…虚数 j によって『位相』を表すことが出来るのです！

ベクトルの関係（図形）も、
簡単な複素数（数式）で表現出来るんだよ〜♪

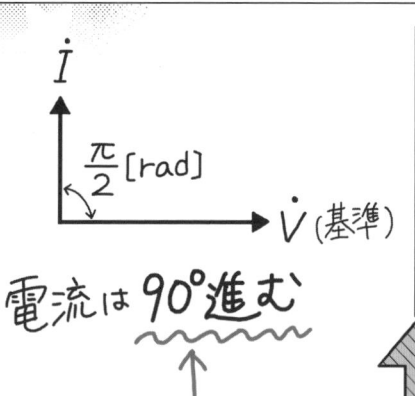

$$\dot{I} = j\frac{\dot{V}}{|\dot{Z}|}$$

電流は90°進む

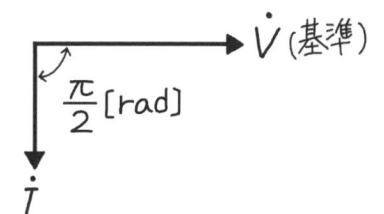

$$\dot{I} = -j\frac{\dot{V}}{|\dot{Z}|}$$

電流は90°遅れる

※ $|\dot{Z}|$ はこの場合、$\dot{I}$ と $\dot{V}$ の大きさを整えるものだと考えてください。
詳しくは P.153 で説明します。

この数式だけで
I と V がどんな関係かわかります

複素数の j に注目すれば
位相はお見通しってわけです

つまり複素数は
『位相』も表せる数式
なんですねー！

j くんはなんでも
お見通し！
j くんすごい！！

いいこ
いいこっ！

めっ…

確かに虚数 j は
すごいヤツだ…

151

まとめますと、
複素数なら位相のある交流回路の問題も
どんどん計算していけるということです
※複素数の計算方法はP.169で説明します。

数式計算だけで
位相を考慮に入れてる
ことになるんですね

ふーん…

そんなわけで、これから複素数を使いこなします。
ベクトルも今後は主に複素ベクトルを使いましょう。
難しく考える必要はありません。
ベクトルを、複素平面上に書けば、複素ベクトルになります！

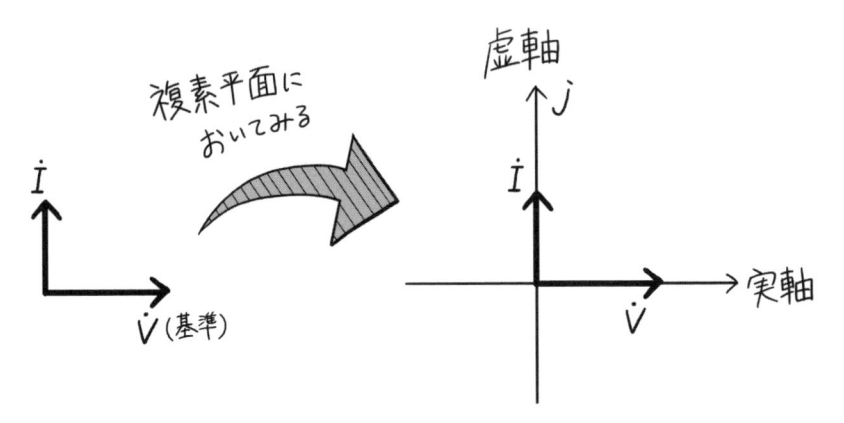

複素平面に
おいてみる

虚軸

実軸

(基準)

「複素数」と「複素ベクトル」はバッチリ対応していましたね（P.49参照）。
つまり、**複素数の計算は、同時に複素ベクトルの計算でもあるのです。**

これからはジェイくんが
強い味方になってくれます

複素数や複素ベクトルを
使いこなして、素早く
答えを出しましょう

これからも
よろしく頼むぜー

式についての補足

さきほどの式で、$|Z|$ が出てきました。これは何であったかを説明しますー。
まず Z は**インピーダンス**。交流における**抵抗の合計**でしたね（P.125 参照）。

絶対値がついて、$|Z|$ は、**抵抗の大きさ**って意味ですね。
でもどうして、ここで突然、抵抗が必要なんですか？
ベクトル図には、電流 $\dot{I}$ と電圧 $\dot{V}$ しか書かれていないのに…。

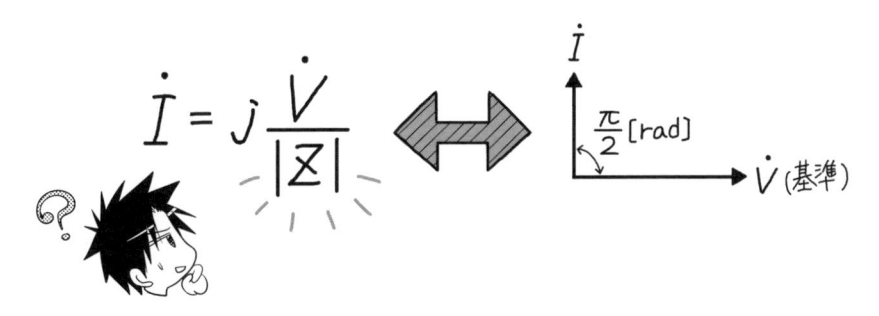

$$\dot{I} = j\frac{\dot{V}}{|Z|} \quad \Leftrightarrow \quad \dot{I},\ \frac{\pi}{2}[\text{rad}],\ \dot{V}(基準)$$

ふふ。実はその $\dot{I}$ と $\dot{V}$ の**大きさを整えるために**、インピーダンス（抵抗の合計）$|Z|$ を持ってきたんですよ。
電流 I と電圧 V の**単位は違います**ので、大きさを比べることは出来ませんよね。
例えば、速さと距離とでは、単位が違って比較が出来ないのと一緒です。

うーん、確かに、単位が違うと大きさの比較が難しそうです。
…あれ？　でも、速さと距離だけでは、比較が出来ませんけど、そこに「時間」さえ加われば、**1つの式に出来そう**ですよね。
速さ〔km/h〕＝ 距離〔km〕／時間〔h〕ですから…。

そう！　まさにそういうことです。ここで思い出して欲しいのが、オームの法則。
$I = V/R$ と同じように、$|I| = |V|/|Z|$ が成り立つのです！

あ、なるほど！　その3つの関係を利用することで、$\dot{I}$ と $\dot{V}$ を1つの式に出来るわけですね。だから、$|Z|$ が必要になったのかぁ。

はい。$|Z|$ はあくまで、$\dot{I}$ と $\dot{V}$ の大きさを整えるためのものと考えてください。
そして、**ベクトルの方向を整えるために** j とか $-j$ とかがあるのです。

虚数はどうして生まれたのか

うーん。虚数 j が、交流の問題に役立つのはわかったんですけど…。
そもそも虚数って、誰が何のために考えたんでしょう？

気になりますよね〜。虚数が生まれたのは、16世紀頃。
答えの出ない問題に、なんとか答えを出すために考えられたものでした。

$$x^2 + 5 = x^2 - (-5) = (x + j\sqrt{5})(x - j\sqrt{5}) = 0$$

これで、「$x^2 + 5 = 0$ が解けた！」ということにします

『2乗してマイナスになる数』さえあれば、どんな2次方程式も解ける！ ということですね。

うわぁ…。無理矢理にでも、解きたかったんでしょうねえ。

まあ、こんな感じでせっかく生まれた虚数なのですが…。
残念ながら、当時の数学者にはあまり受け入れられませんでした。
この頃の虚数は、**2乗してマイナスになる数**という**概念だけの存在**で、実用性の価値は特に無かったのです。
虚数は、その存在が本に書かれた後、200年近くも放置されていました…。
虚数も寂しかったでしょうね…。

ちょっと感情移入しそうです…。

ですが！ そこに数学者レオンハルト・オイラー（1707 - 1783）が登場します。
オイラーは、18世紀最大・最高の数学者といわれている人物で、このオイラーが $\sqrt{-1}$ を虚数単位 i と定めたのです（電気の世界では j）。
また、1748年には『**オイラーの公式**』という、虚数を含んだとーっても重要な公式を発表しました。この公式については、後で詳しく説明しますね。

ほー。そのオイラーさんのおかげで、**虚数に関係する式**も生まれたわけですか。

はい。でも、その後も、なかなか虚数の存在は受け入れられませんでした。
虚数は、図に描けないイメージ出来ないものだったからです。

…あれ？ でもさっき、複素平面で図に出来ましたよね？

そうなんです！ 実はその後、複素数・複素平面が生まれました。
この複素平面により、虚数は初めて図に書ける、目に見えてイメージ出来るもの
となりました。ここでようやく、虚数は市民権を得たのですよー。

へぇ〜、なるほど！ やっと陽のあたる場所に出たんですね、虚数…。

複素平面は別名『**ガウス平面**』といいますが、これは人の名前なんです。
複素平面に関しては、色々な人が取り組んでいたのですが、中でも数学者ヨハン・カール・フリードリヒ・ガウス（1777 – 1855）の業績が素晴らしく、複素平面はガウス平面ともよばれているのです。

このようにして、虚数や複素数・複素平面が生まれたわけですが…。
やがて、これらを**交流回路の計算に使おう**とする画期的な考えが出てきます！

1886年、イギリスのヘビサイドは、交流回路の計算に複素数を用いることを提案。
1893年、イギリスのケネリーが、インピーダンスを複素数で表し、計算が出来ることを示す。
同年、アメリカの技術者スタインメッツが、虚数 $j = \sqrt{-1}$ を用いて交流回路を計算する理論を完成し、論文を発表。

こうやって、電気の世界で虚数・複素数が用いられるようになったのです。

| ジェイくんに歴史ありですねぇ | 虚数は今、電気以外の学問でも欠かせない存在なんですよ |

2　複素数で表せる重要な式

オイラーの公式

> それではこれから、虚数を用いた、とっても重要な公式をご紹介しましょう。
> **『オイラーの公式』**と**『オイラーの等式』**です。

> …ん？　なんか似たような名前ですね。

> はい。それもそのはず。**オイラーの公式**を少し変換して得られるのが、**オイラーの等式**なんです。ですから、セットで覚えてしまいましょう。
> ちなみに、ある物理学者は、この公式を「**我々の至宝**」と表現したそうですよ。

> ひゃー、最高の宝物ですか…！　凄いっすね。

> ふふふ。それほどまでに美しく、役に立つ公式ってことです。
> 百聞は一見にしかず。まずは**『オイラーの公式』**をご覧くださいー。

$$\underbrace{e^{jx}}_{\text{指数関数}} = \underbrace{\cos x + j \sin x}_{\text{三角関数}}$$

> …。すいません、見なかったことにしていいですか…かなり難しそう…。

> いえいえ！　これから、わかりやすくお話しますから、安心してください〜！
> この式の特徴は、異なる２つの関数――指数関数と三角関数が、虚数単位 j によって、**結び付けられている**ことなんです。

三角関数は今まで学んできた $\sin\theta$ や $\cos\theta$ ですね。

変化する数――変数は、今回 θ ではなく x になっています。

指数関数は e^x と表しまして、こんなグラフになる関数なんですよ。

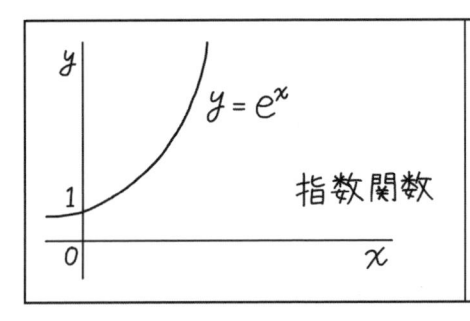

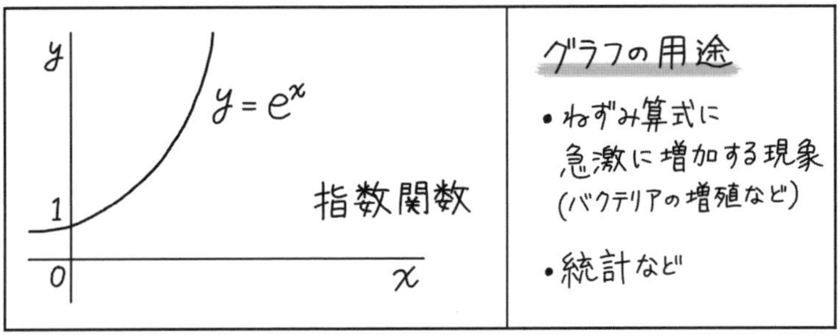

グラフの用途
- ねずみ算式に急激に増加する現象（バクテリアの増殖など）
- 統計など

それぞれの名称も覚えてくださいね。

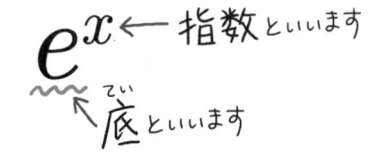

e^x ← 指数といいます
↑ 底といいます

ふむふむ。ちょっと気になったんですけど…。

指数は、前に出てきた**次数**（P.100 参照）と似てますよね。何が違うんですか？

いい質問ですねー。実は、こんな違いがあるんです。

指数
- e^x における x
- $x^6 y^9$ における 6 と 9
- 整数の他、変数を含む場合がある。

次数
- $x^3 + x^2 + 1$ における 3（多い数にあわせる）
- 多項式に用いることが多く一般的に整数。

また、e は**ネイピア数**という数学定数で『**自然対数の底**』といわれるものです。
$e = 2.71828\ 18284\ 59045\cdots$ というふうに、ずっと値が続く**無理数**なのですよー。

あー…。円周率 π みたいに、暗記するのは無理そうな数ですね…。

一見単なる数字の羅列に見えますが、この e は色々な特性を秘めています。
関数や**微分積分**などで大活躍する、とても便利なものなんですよ。

e は、計算の際などにこんな**書き換え**をすることがあります。
書き換えがあっても戸惑わないように、しっかり覚えてください。

$$e^x = \exp(x)$$

指数　　　　　指数

この exp は、「exponential（エクスポネンシャル）＝指数という意味」の略です。
指数関数のことを、**exp 関数**といったりもします。

なるほど…。ゲームで経験値を exp っていうけど、それとは違うんですね。

さて、用語の説明が終わったところで、いよいよ電気の話です。
『**オイラーの公式**』は、電気の世界ではこのように書くんですよー！
さ、青沼さん！　式にご注目ください。

指数関数　　　　三角関数
$$\varepsilon^{j\theta} = \cos\theta + j\sin\theta$$

うーむ…。変数であり指数の x が θ になってますね。
でも、e がタコの口みたいになっていて、わけわかりません！

タコの口…！　この ε は、**イプシロン**といいます。
単に記号を替えているだけで、自然対数の底 e と同じ意味です。

な、なんだー。じゃあ、虚数 i を j にするのと同じ要領ですね。
電気の世界では、自然対数の底 e は ε …と。

その通りですー。オイラーの式や指数関数の ε は、今後とても重要になりますから、しっかり見慣れておいてくださいね。

ちなみに、指数関数が、なぜそんなに重要になるのかというと…。
三角関数から、指数関数に変換することで『指数計算』が出来るからなんです。

> $x \neq 0$ で m, n を整数とするとき、次の指数法則が成り立つ。
> $x^m \times x^n = x^{m+n}, \quad (x^m)^n = x^{mn}, \quad (xy)^n = x^n y^n, \quad x^0 = 1$
>
> 【計算例】 $x^3 \times x^2 = x^{(3+2)} = x^5, \quad (x^3)^2 = x^{(3 \times 2)} = x^6,$
> $(x^2 y^3)^3 = x^{(2 \times 3)} y^{(3 \times 3)} = x^6 y^9$

電気数学の問題を解く際にも、**指数計算でラクになる**場合が多いです。

ほほぉー。ラクするためなら、指数関数も使いこなしたいですね。

以上で、オイラーの公式については終わりです。最後に忘れてはいけないのが、オイラーの公式を変換して得られる『**オイラーの等式**』です。

$$\varepsilon^{j\pi} + 1 = 0$$

オイラーの等式には、数学における重要な５つの数 ——
『**自然対数の底 $\varepsilon (e)$**』『**虚数単位 $j (i)$**』『**円周率 π**』『**1**』『**0**』 が
全て含まれていて、**世界で最も美しい式**といわれているんですよ～。

こちらが、
変換の様子ですー
電気の世界では
e が ε になってます

$\varepsilon^{jx} = \cos x + j \sin x$ （オイラーの公式）

・x に円周率 π を代入

$\varepsilon^{j\pi} = \cos \pi + j \sin \pi$

・$\cos \pi = \cos 180° = -1$
$\sin \pi = \sin 180° = 0$ なので、

$\varepsilon^{j\pi} = -1 + 0j$
$\quad\quad = -1$

・-1 を左辺に移動させて、

$\varepsilon^{j\pi} + 1 = 0$ （オイラーの等式）

※ $\varepsilon^{j\pi} = -1$ もよく使用します。

結構簡単ですね
俺でも出来そう

交流の式を複素表示してみよう

今お話した**オイラーの公式**は、色々なことに役立つのです。
例えば、**交流電圧の式**も、オイラーの公式により書き換えが出来ます～！
※電圧を例に挙げていますが、電流の式も同様です。

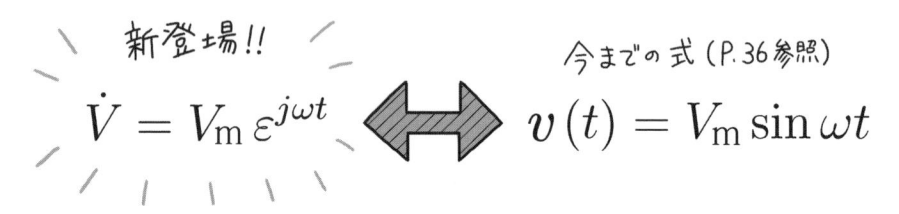

新登場!!
$$\dot{V} = V_\mathrm{m}\,\varepsilon^{j\omega t}$$

今までの式（P.36参照）
$$v(t) = V_\mathrm{m}\sin\omega t$$

な、なんか、あっさりした！？ つーか、これって大変身ですよね。
『三角関数』の式が、『指数関数』で表すベクトルになってますよ！

うんうん、その通りです。青沼さんも2つの関数がわかってきましたねー。
補足すると、指数関数の式は虚数 j を含む、**複素ベクトル**ということです。
以下のように、複素平面上に書き表すことが出来ますよー。

$\dot{V} = V_\mathrm{m}\,\varepsilon^{j\omega t}$ とは、
複素平面上にある
大きさ V_m の回転ベクトル

その回転ベクトルを
虚軸（縦軸）に投影したのが
$v = V_\mathrm{m}\sin\omega t$

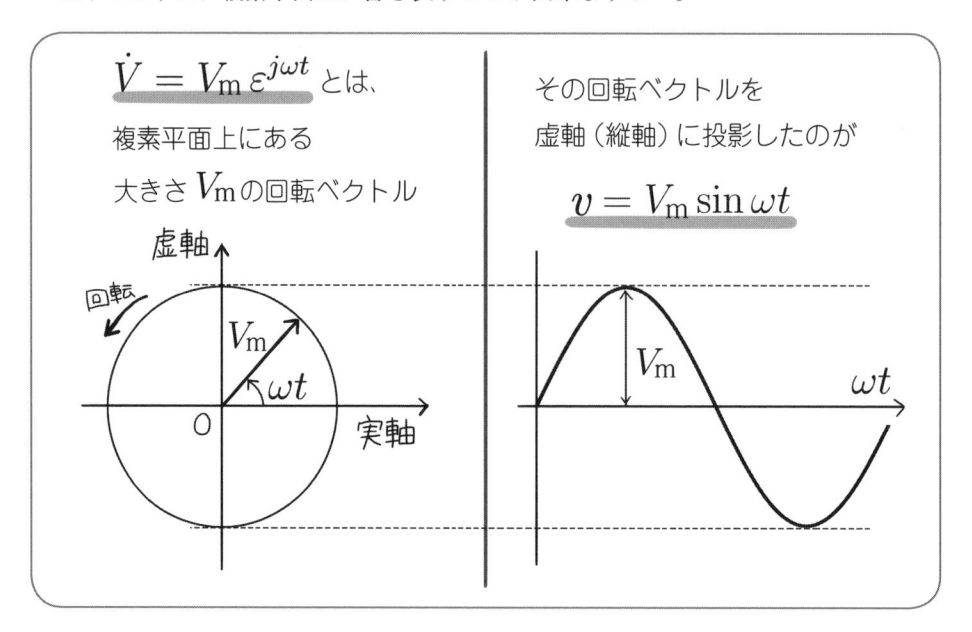

ああ、こうやって図で見てみるとわかりやすいですね。
…でも、オイラーの公式を、どう活用したらこんな式になるんですか？

うふふ。それにはちょっとした手順があります。
まずこうやって…『オイラーの公式』の**虚部だけ**を、取って拾い上げます。

$$\text{オイラーの公式}$$
$$\varepsilon^{j\theta} = \cos\theta + j\underline{\sin\theta}$$

（虚部Imのみ、ピックアップします！）

この虚部を取ると $\text{Im}(\varepsilon^{j\theta}) = \underline{\sin\theta}$

↓ $\varepsilon^{j\theta}$の虚部という意味

えええ！！？ そんなことしちゃっていいんですか！？
なんか、ショートケーキのイチゴだけ、つまみ取るみたいな…。

はいー。**計算の目的**によっては、こんなことをしてもいいんです。
電気の計算では、こんなふうに『虚部を取る』『実部を取る』ことがあります。
虚部を取った場合は、Im（ ）、実部を取った場合は、Re（ ）で表します。
電流の最大値 I_m と間違えないよう気をつけてくださいね。

あとは、以下の通り。取り出したものを、交流電圧の式に代入したのです。
取るという発想さえわかれば、計算自体は簡単ですねー。

$\text{Im}(\varepsilon^{j\theta}) = \sin\theta$ より、
$\varepsilon^{j\theta} = \sin\theta$
$\varepsilon^{j\omega t} = \sin\omega t \cdots ①$

交流電圧の式に代入する。
$v = V_m \sin\omega t$
　　　　ここに①を代入
$v = V_m \varepsilon^{j\omega t}$ （複素数）
$\dot{V} = V_m \varepsilon^{j\omega t}$ （複素ベクトル）

えーと、まとめると、今回の計算の目的は、交流電圧の式だった。
電圧の値は、虚軸（縦軸）への投影なので、虚部を取り出した。
計算の目的を考えると、**実部は要らなかった**ってことですね。合理的だなぁ…。

こういうことが出来るのも、**実数成分（実部）** と **虚数成分（虚部）** がハッキリ
している**複素数のおかげ**なんですよ。

複素数の色々なベクトル表示方法

さて、この辺で**複素ベクトルの表示方法**についてまとめてみましょうか

青沼さんはゲームお好きですか？

大好きです。

RPGとかめちゃくちゃやりこんでました

私たちは今…RPG世界の中にいます…

では想像もしやすいですねー

目的地は村を出て少し行ったとこにあるお城です

村からお城への道はどのように説明されるのがわかりやすいでしょう？

ここまで！

ここから

うーん…ムダに戦闘もしたくないから手短に済ませたいですねー

真っ先に思いつくのは
東に a 歩、北に b 歩って
説明ですよね

わかりやすいですねー

最近のゲームは
斜めにも進めますからね

**東から北へ θ 度の方向に
A 歩進め！**ってのも
いいですね

その方法も
ありますねー

で？お城には何が
あるんでしょうか

このように
ベクトルの指す点を
表すのには、
2種類の方法が
ありましたね！

これがまさしく
複素ベクトルの
表示方法なのです！

そしてベクトル $\dot{A}$ を
表す式は
なんと**4通り**！

すっごいので
見てください〜！

1つめの
座標を指定する方法が
『**直交形式**』

2つめの
角度 θ を利用する方法が
『**極形式**』

なにも
ないんか…！

複素ベクトルの色々な表示方法だよ～♪

① 直交座標表示 …… **直交形式**
② 極座標表示 ⎫
③ 三角関数表示 ⎬ …… **極形式**
④ 指数関数表示 ⎭

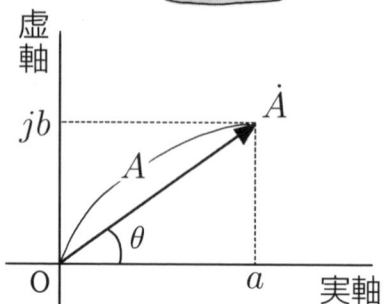

$A^2 = a^2 + b^2$, $A = \sqrt{a^2 + b^2}$ （複素数 $\dot{A}$ の絶対値 $|\dot{A}| = A$）
三平方の定理

$\dfrac{b}{A} = \sin\theta$ から $b = A\sin\theta$, $\dfrac{a}{A} = \cos\theta$ から $a = A\cos\theta$

→ これにより③の式が成り立つ

① 直交座標表示： $\dot{A} = a + jb$

② 極座標表示： $\dot{A} = A\angle\theta$, $A = \sqrt{a^2 + b^2}$

③ 三角関数表示： $\dot{A} = a + jb = A(\cos\theta + j\sin\theta)$
$\dot{A} = A(\cos\theta + j\sin\theta)$ → ベクトル図は次ページ

④ 指数関数表示： $\dot{A} = A\varepsilon^{j\omega t}$

$\varepsilon^{j\theta} = (\cos\theta + j\sin\theta)$ …オイラーの公式

参考 電圧の複素表示 $\dot{V} = V_\mathrm{m}\,\varepsilon^{j\omega t}$

$$\dot{A} = A\varepsilon^{j\theta} = A(\cos\theta + j\sin\theta) = A\angle\theta = a + jb$$

ちなみに、 $A\varepsilon^{j\theta} = A\varepsilon^{j\omega t} = A\exp(j\omega t)$

うわ…なんかすごいっ…！

問題を解くうち慣れますよ～頑張りましょう！

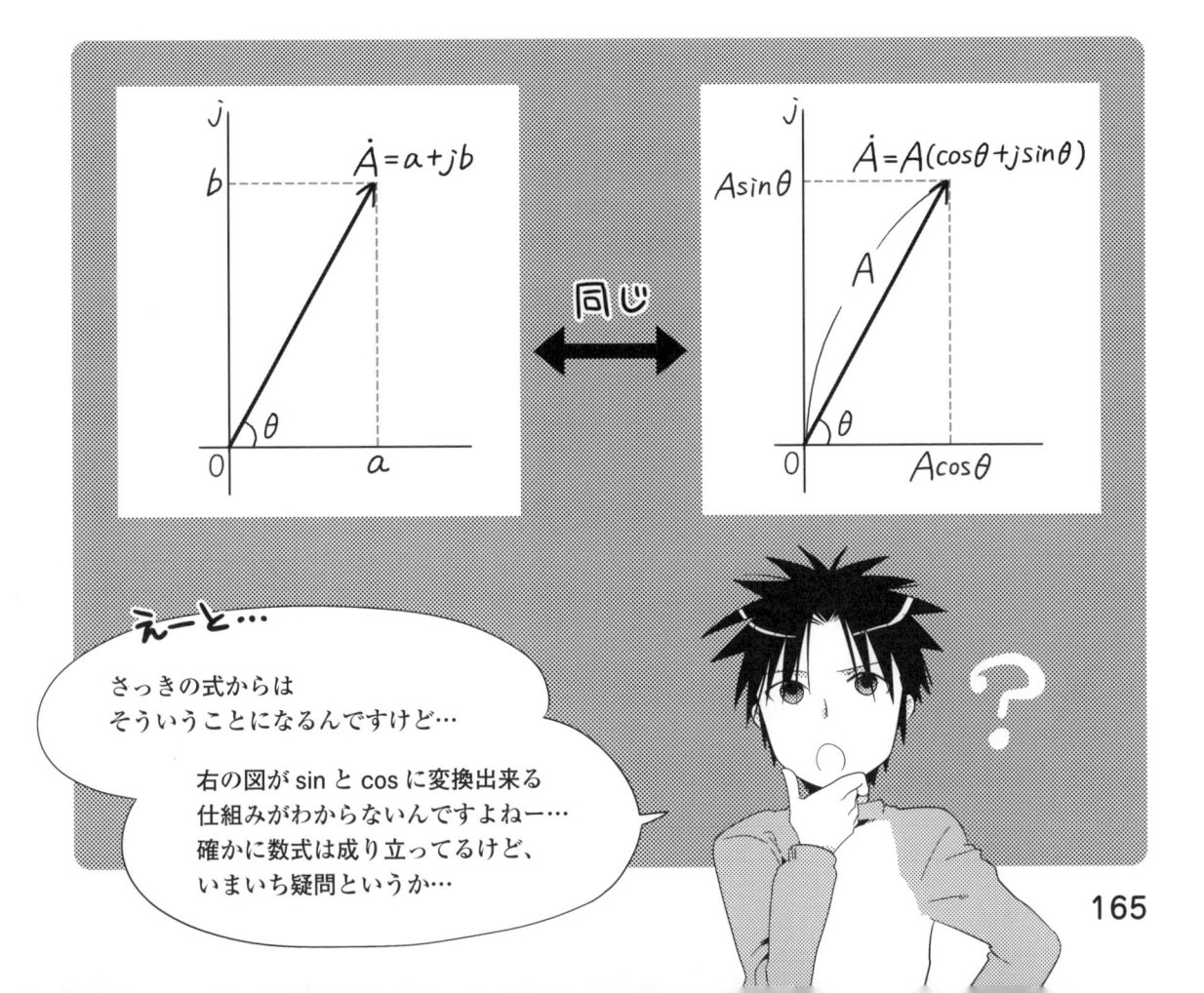

ベクトル表示の補足

す、すみません…
慣ればというか
それ以前でして

この式について
わからないとこが
あるんですけど…

$\dot{A} = a + jb = A(\cos\theta + j\sin\theta)$

この式ですか？

これを複素平面上の
ベクトルで表すと
こういうことですよね？

はい
そうですねー

すごい青沼さん
ベクトル図は
もう完璧ですね！

←同じ→

えーと…

さっきの式からは
そういうことになるんですけど…

右の図がsinとcosに変換出来る
仕組みがわからないんですよねー…
確かに数式は成り立ってるけど、
いまいち疑問というか…

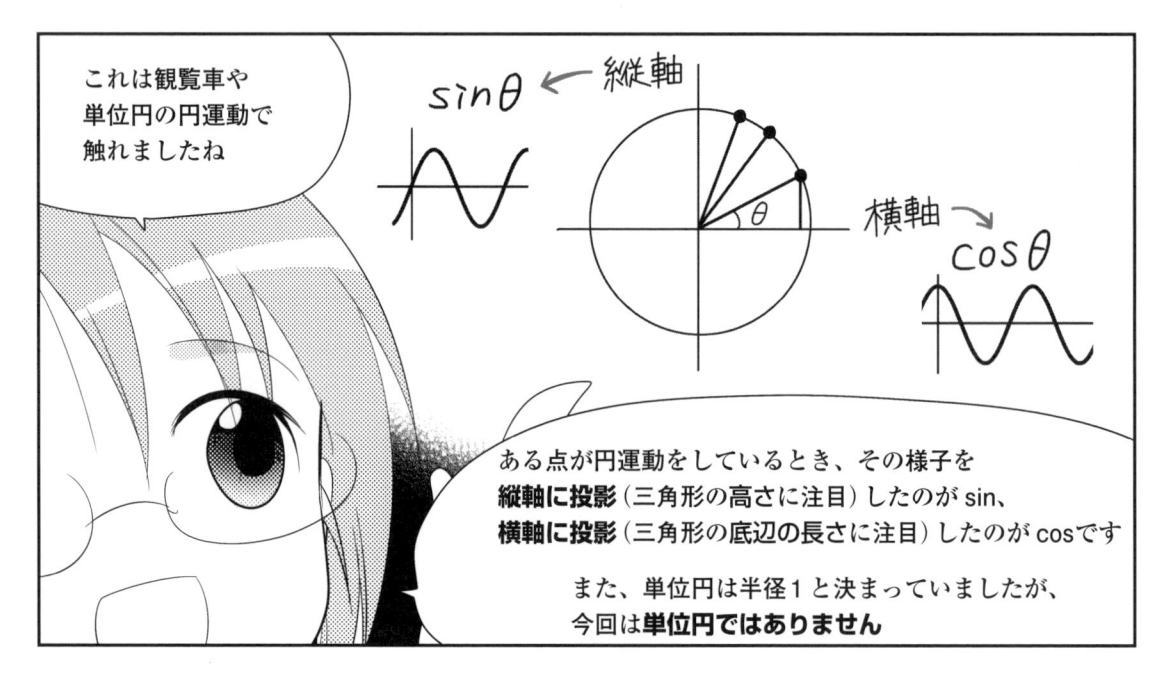

だってsinは…
cosは…
うーん

迷走してますね〜

では1つずつ検証していきましょう 青沼さん

cosとsinの定義を思い出してください

これは観覧車や単位円の円運動で触れましたね

ある点が円運動をしているとき、その様子を
縦軸に投影（三角形の高さに注目）したのがsin、
横軸に投影（三角形の底辺の長さに注目）したのがcosです

また、単位円は半径1と決まっていましたが、
今回は単位円ではありません

あー…そっか！
角度θが指定されると自動的に
縦軸は$\sin\theta$、横軸は$\cos\theta$が
成り立つんですね

そのとおり！

そして半径1は今回
A倍されて、ベクトルの長さAに
なっているわけなんです

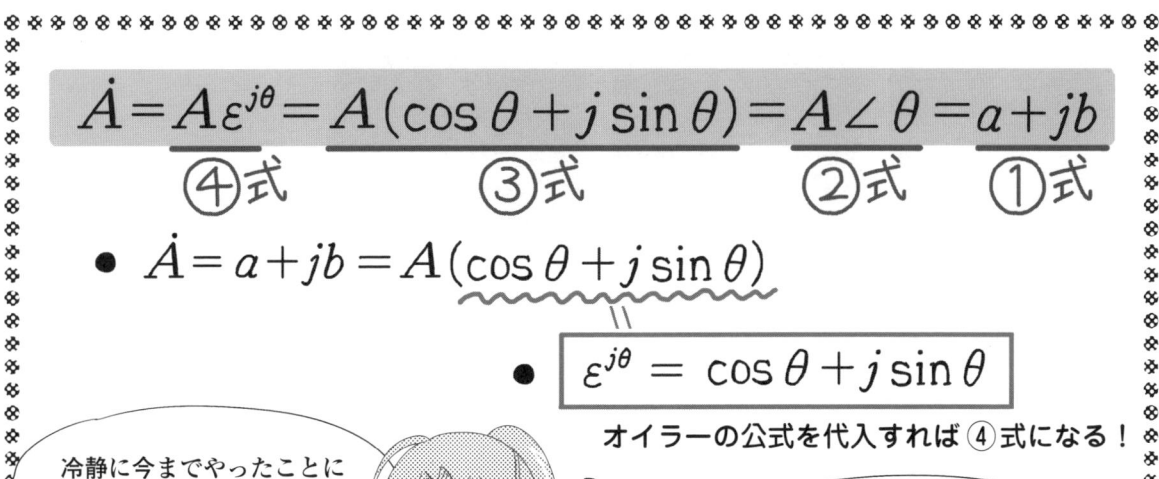

$$\dot{A} = A\varepsilon^{j\theta} = A(\cos\theta + j\sin\theta) = A\angle\theta = a+jb$$

④式　　　③式　　　　　②式　　①式

- $\dot{A} = a+jb = A(\cos\theta + j\sin\theta)$

- $\boxed{\varepsilon^{j\theta} = \cos\theta + j\sin\theta}$

オイラーの公式を代入すれば④式になる！

冷静に今までやったことに
当てはめていくと
理解できますねー

4通りのベクトルの表示方法も
この2つの式を理解すれば
自然と覚えられると思います！

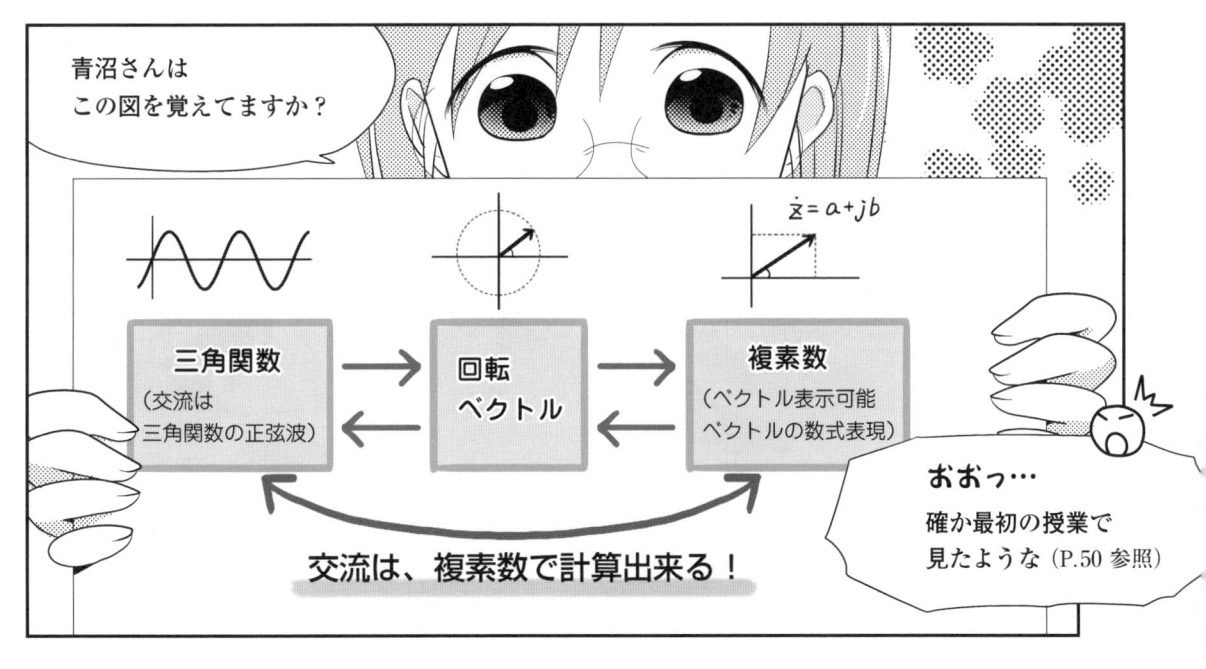

同じものを
手を変え、品を変え
臨機応変にやっていく
わけですね…

書き換えが出来るように
なるまでは大変ですねー…

うーん…

今日は特に一気に
お話していますからね〜

青沼さんは
この図を覚えてますか？

$\dot{z} = a+jb$

三角関数
（交流は
三角関数の正弦波）

⇄

回転
ベクトル

⇄

複素数
（ベクトル表示可能
ベクトルの数式表現）

交流は、複素数で計算出来る！

おおっ…
確か最初の授業で
見たような（P.50参照）

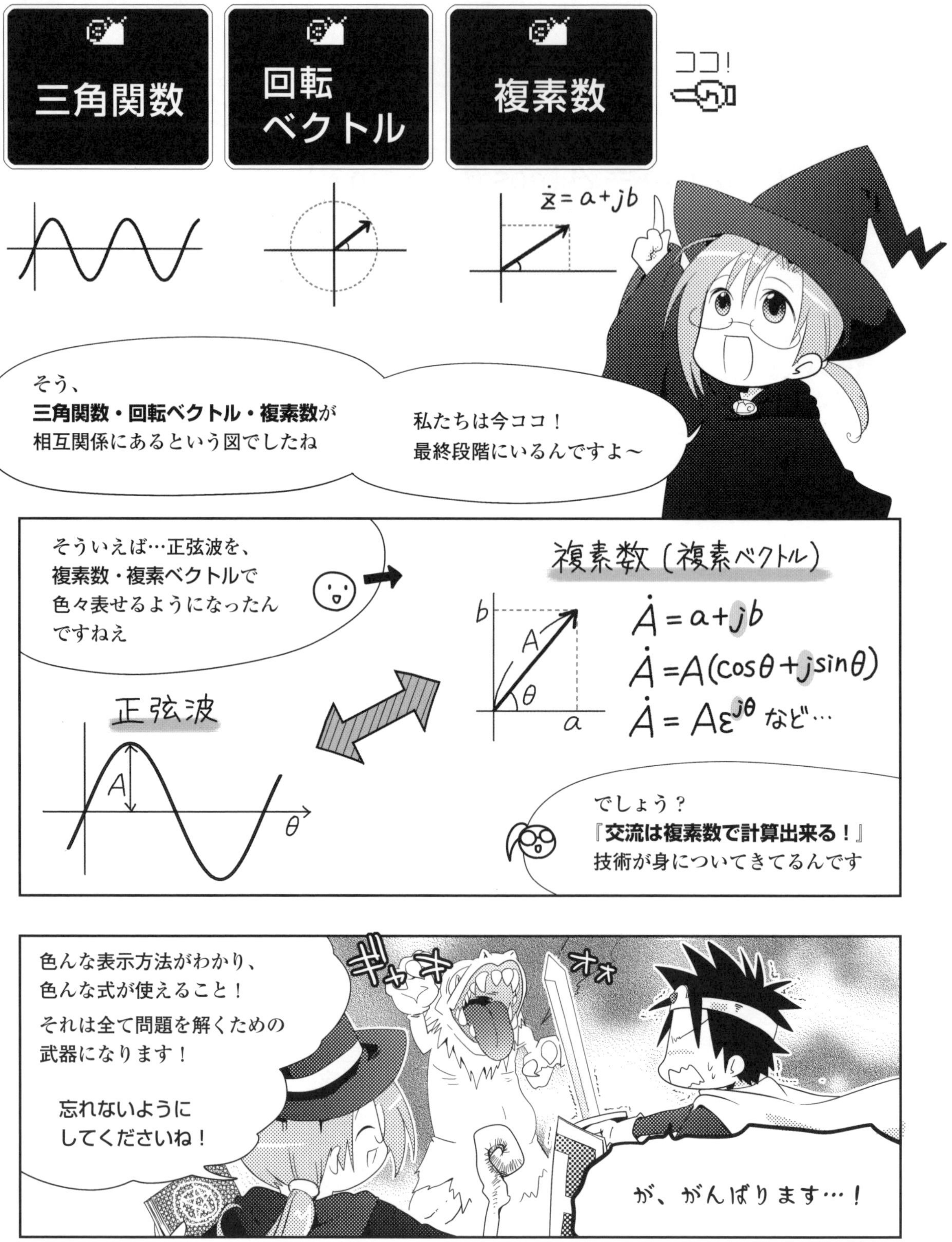

| 三角関数 | 回転ベクトル | 複素数 | ココ！ |

そう、**三角関数・回転ベクトル・複素数**が相互関係にあるという図でしたね

私たちは今ココ！最終段階にいるんですよ〜

そういえば…正弦波を、複素数・複素ベクトルで色々表せるようになったんですねえ

正弦波

複素数（複素ベクトル）

$$\dot{A} = a + jb$$
$$\dot{A} = A(\cos\theta + j\sin\theta)$$
$$\dot{A} = A\varepsilon^{j\theta} \text{ など…}$$

でしょう？
『**交流は複素数で計算出来る！**』
技術が身についてきてるんです

色んな表示方法がわかり、色んな式が使えること！
それは全て問題を解くための武器になります！

忘れないようにしてくださいね！

が、がんばります…！

複素数の計算方法

ではここで、私たちの強い味方——**複素数**の**計算方法**についてお話しますー。
「1. 共役複素数」「2. 複素数の偏角」「3. 複素数のノルム（絶対値）」
「4. 複素数の加減乗除」についてしっかりマスターしちゃいましょう。

1 共役複素数

複素数 $\dot{A} = a + jb$ としたとき、共役複素数は $\dot{A}^* = a - jb$

下のベクトル図をご覧ください〜。複素数と共役複素数は、**対**になるもの。
実軸を中心として、鏡写しになった対称の関係なんです。

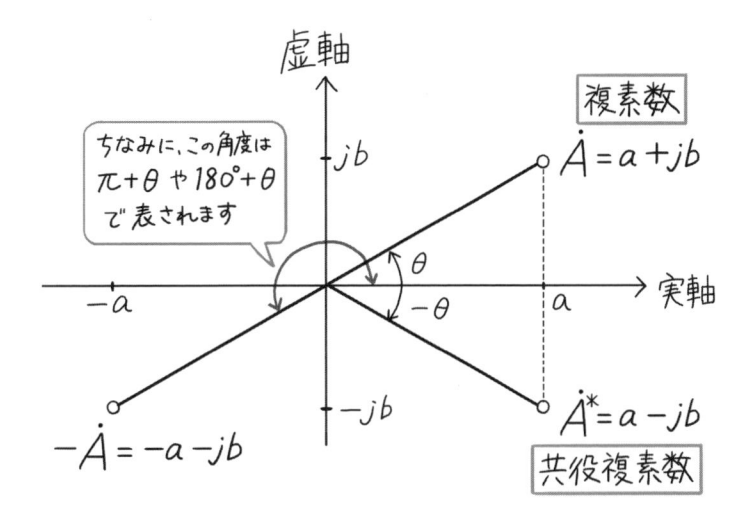

ちなみに、この角度は $\pi + \theta$ や $180° + \theta$ で表されます

$\dot{A} = a + jb$ 複素数
$\dot{A}^* = a - jb$ 共役複素数
$-\dot{A} = -a - jb$

ほぉー。確かに対になってます。プラスとマイナス、昼と夜…みたいな。
わかりやすい例で言うと、主人公とライバル…とか？

いいですねー。実は、計算の途中で、共役複素数をよく使うんです。
主人公とライバルが協力することで、計算が出来る！ そう思うと素敵ですね。

$$\underbrace{(a \oplus jb)}_{\dot{A}} \underbrace{(a \ominus jb)}_{\dot{A}^*} \underset{\text{協力}}{=} (a \times a) - \underbrace{j^2}_{-1\text{に変換}}(b \times b) = a^2 + b^2$$

お次は、右のベクトル図を見ながら
「2. 複素数の偏角」
「3. 複素数のノルム（絶対値）」
について考えていきましょうー。

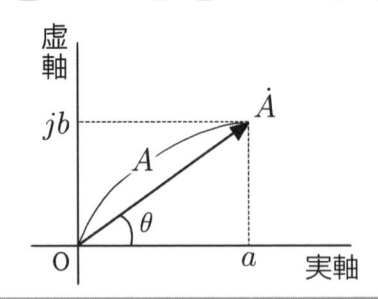

2 ─ 複素数の偏角

複素数 $\dot{A} = a + jb$ としたとき、**偏角**（または位相角）θ は

$$\theta = \underset{\text{偏角を表す言葉}}{\arg} \dot{A} = \tan^{-1} \frac{b}{a} \quad \left(\tan \theta = \frac{b}{a} \text{ から、} \theta = \tan^{-1} \frac{b}{a} \right)$$

偏角を表す言葉
「アーギュ」や「アーク」と読みます

マイナスの次数
（P.100参照）

arg は、偏角「argument（アーギュメント）」を略した言葉なんですよ。

3 ─ 複素数のノルム（絶対値）

複素数 $\dot{A} = a + jb$ としたとき、**ノルム**（絶対値）は

$$|\dot{A}| = \sqrt{a^2 + b^2} = \underbrace{\sqrt{(a + jb)(a - jb)}}_{\text{共役複素数の計算方法を参照}} = \sqrt{\dot{A} \dot{A}^*}$$

むむむ。共役複素数って、色々なところで重要になるんですね。

CHECK！

「絶対値」と「ノルム」は、似ていますが、厳密には定義が異なります。

『**絶対値**』は、複素数や実数など**数に限定**して適用します。
私たちがベクトルの大きさを求めるときも、何らかの**数**を絶対値にしているのです。

『**ノルム**』は、数だけでなく**空間にも**、写像というものとして適用できます。
ベクトルに対しても、大きさだけでなく最大値など色々なノルムが考えられます。
要するに、ノルムの方が絶対値よりも**広い範囲に適用できる**ものなのです。

加減乗除は、「**加**：足し算」「**減**：引き算」「**乗**：掛け算」「**除**：割り算」です。

4 複素数の加減乗除

$$\dot{A} + \dot{B} = a + jb + c + jd = a + c + j(b + d)$$

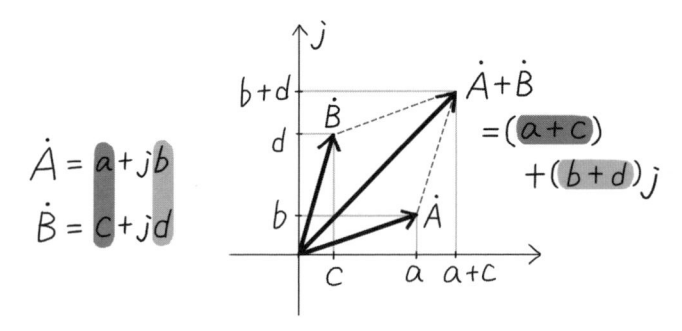

$\dot{A} = \boxed{a + jb}$
$\dot{B} = \boxed{c + jd}$

$\dot{A} + \dot{B} = (a+c) + (b+d)j$

$$\dot{A} - \dot{B} = a + jb - (c + jd) = a - c + j(b - d)$$

$$\begin{aligned}\dot{A} \times \dot{B} &= (a+jb) \times (c+jd) \\ &= ac + jad + jbc + j^2 bd \\ &= (ac - bd) + j(ad + bc)\end{aligned}$$

式の途中の **j^2** は **-1** に変換する

$$\begin{aligned}\frac{\dot{A}}{\dot{B}} &= \frac{a+jb}{c+jd} = \frac{(a+jb)(c-jd)}{(c+jd)(c-jd)} \\ &= \frac{(ac+bd) + j(bc-ad)}{c^2 + d^2}\end{aligned}$$

共役複素数を使う

ふむふむ。**実数同士、虚数同士で計算していく**んですね。

その通りです！ 複素数を扱う時には、**実部**と**虚部**を常に意識してください。
複素数の計算の解答は、やっぱり複素数になるんですよ。

答 = 実部 + 虚部
$\dot{z} = A + jB$

j が前にあると、虚部もわかりやすい

これらの計算方法をマスターしたら、次は問題に行ってみましょう〜。

3 複素数を用いた問題

問題 複素数のありがたさを知ろう！

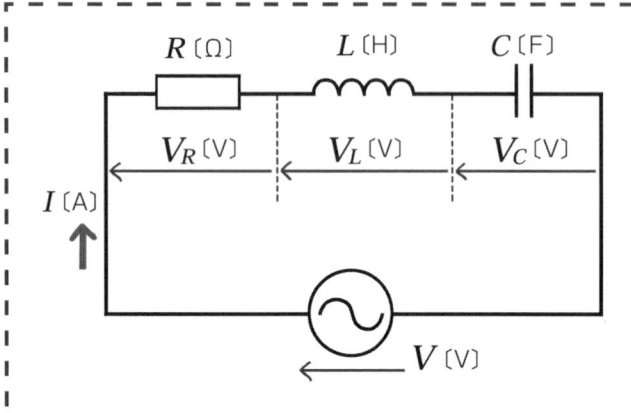

上図に示すような RLC 直列回路のインピーダンスを求め、電圧と電流の関係をベクトル図に示せ。ただし、交流における角周波数を $\omega = 2\pi f$ とする。

考え方 ★この問題は2通りの解き方があります。別の解き方は、P.175参照。

いよいよ**交流**電源の問題です！
交流の問題では「**位相**」を考えるのが大事です。
位相は複素数で表せるのでしたねー。
また、これは**直列**回路ですから、**電流 I が一定**ということです。
そして、これまでお話したことをしっかり覚えてないといけません。

あー。なんか…教えてもらったの色々ありましたよねえ。
抵抗 R、コイル L、コンデンサ C…それぞれ特徴とか（P.118参照）

そうですー。その辺りを覚えていないと、この問題は解けませんよ〜！
ベクトル図の書き方は、基本的に以前と同じです。（P.128参照）
今回は**複素ベクトル**を書いてみましょうね。

A. 解答

まずは、3つの素子における電圧 $\dot{V}$ を示す。

電流 $\dot{I}$ は一定なので、オームの法則により、

$$\dot{V}_R = \dot{I}R \,、\, \dot{V}_L = j\omega L\dot{I} \,、\, \dot{V}_C = -j\frac{\dot{I}}{\omega C}$$

※位相を表す j と $-j$
コンデンサとコイルの**リアクタンス**を
覚えてないと、上の式は作れませんね。

$\dot{V} = \dot{V}_R + \dot{V}_L + \dot{V}_C$ なので

インピーダンス Z は、

$$\dot{Z} = \frac{\dot{V}_R + \dot{V}_L + \dot{V}_C}{\dot{I}}$$

← **オームの法則**
（抵抗はインピーダンス Z）

$$= \frac{\dot{I}R + j\omega L\dot{I} - j\dfrac{\dot{I}}{\omega C}}{\dot{I}}$$

$$= R + j\omega L - j\left(\frac{1}{\omega C}\right)$$

$$= \underline{R + j\left(\omega L - \frac{1}{\omega C}\right)}$$

A + jB の形なので、ここで完了。

これで「インピーダンスを求めよ」は解決しました。
次ページは、「電流と電圧の関係をベクトル図に示せ」の解答となります。

次に、電圧 $\dot{V}$ と電流 $\dot{I}$ との関係を考える。

- 抵抗 R における電圧 $\dot{V}_R$ と電流 $\dot{I}$ との関係は、

$$\dot{V}_R = \dot{I}R$$

となるので、電圧と電流が同相（位相角が同じ）になる。

- コイル L における電圧 $\dot{V}_L$ と電流 $\dot{I}$ との関係は、

$$\dot{V}_L = j\omega L \dot{I}$$

となるので、電圧 $\dot{V}_L$ は電流 $\dot{I}$ より $\pi/2$（90°）進み位相になる。

- コンデンサ C における電圧 $\dot{V}_C$ と電流 $\dot{I}$ との関係は、

$$\dot{V}_C = -j\frac{\dot{I}}{\omega C}$$

となるので、電圧 $\dot{V}_C$ は電流 $\dot{I}$ より $\pi/2$（90°）遅れ位相になる。

これらの関係を図に描くと次のようになる。

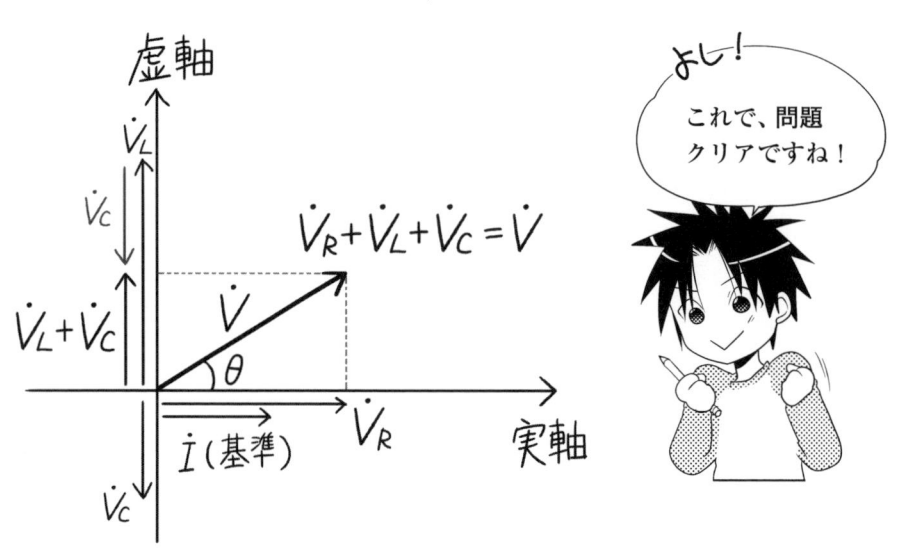

微積分方程式を置き換えよう

うんうん。ちゃんと問題が解けましたねー！
でも、この問題には、**別の解き方**もあるのです。
実は、電源電圧 v と回路に流れる電流 i との間には、こんな**微積分方程式**の関係がありまして…。

$$v = Ri + L\frac{di}{dt} + \frac{1}{C}\int i dt$$

$\frac{di}{dt}$: i を時間 t で**微分**している

$\int i dt$: i を時間 t で**積分**している

この式を利用することで、問題が解けるんですよー。

うわ！ いやいやいや、無理です！ 俺、微分積分苦手なんで…！
ていうか、最初の授業で「複素数があれば、微分積分を避けられる」って言ってましたよね？ なんで今更、微分積分を考えなきゃいけないんですかー！？

あぁ〜、本当に苦手なんですね、微分積分。
今からお話するのは、そんな青沼さんにもオススメの方法！
「微積分方程式を、複素数を利用して簡単な式に置き換えてしまう」方法です。
難しい微積分方程式でも、簡単な式に置き換えてしまえば、楽に解けますよねー。

え。置き換えるって…そんなこと出来るんですか？？

ええ。この**微積分方程式**は、**複素表示の式** $\dot{V} = V_\mathrm{m} \varepsilon^{j\omega t}$
として考えることで…こんなふうに置き換えられるのです！

※**定常状態**（電流・電圧の変化の様子が一定）であることが前提となります。

$$v = Ri + L\frac{di}{dt} + \frac{1}{C}\int i\, dt$$

⬇

$$\dot{V} = \left(R + j\omega L + \frac{1}{j\omega C}\right)\dot{I}$$

あれ？ ここからスタートなら、簡単ですね。
こんな感じに解いていけます。

インピーダンス Z は、

$$\dot{Z} = \frac{\dot{V}}{\dot{I}} \quad \leftarrow \text{オームの法則}$$
（抵抗はインピーダンス Z）

$$= R + j\omega L + \frac{1}{j\omega C}$$

$$= R + j\left(\omega L - \frac{1}{\omega C}\right)$$

$A + jB$ の形なので、ここで完了。

その通りです！ 置き換えさえ出来れば、簡単ですよねー。

はいー。
でも、どうして微積分方程式を置き換えられたんでしょうか？

ふふふ。実は、今回こんな置き換えが出来たのです。

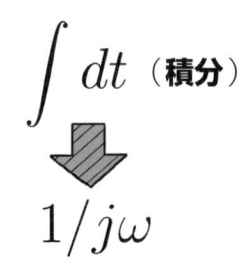

$$d/dt \text{（微分）} \quad \Downarrow \quad j\omega$$

$$\int dt \text{（積分）} \quad \Downarrow \quad 1/j\omega$$

おお、$j\omega$ を使って、微積分が置き換えられるんですか！？
すごいですね！ ジェイくんとオメガ猫！

便利ですよね～。ただし、この置き換えが使えるのは、

- 微積分する対象が、$A\varepsilon^{j\omega t}$ の形
- 時間（t）で、微積分するとき

に限定されていますので、気をつけてください。

なぜ、このように置き換えられるのか、詳しい式も挙げておきます。
問題を解く際には、この詳しい式は省略して構いませんよー。

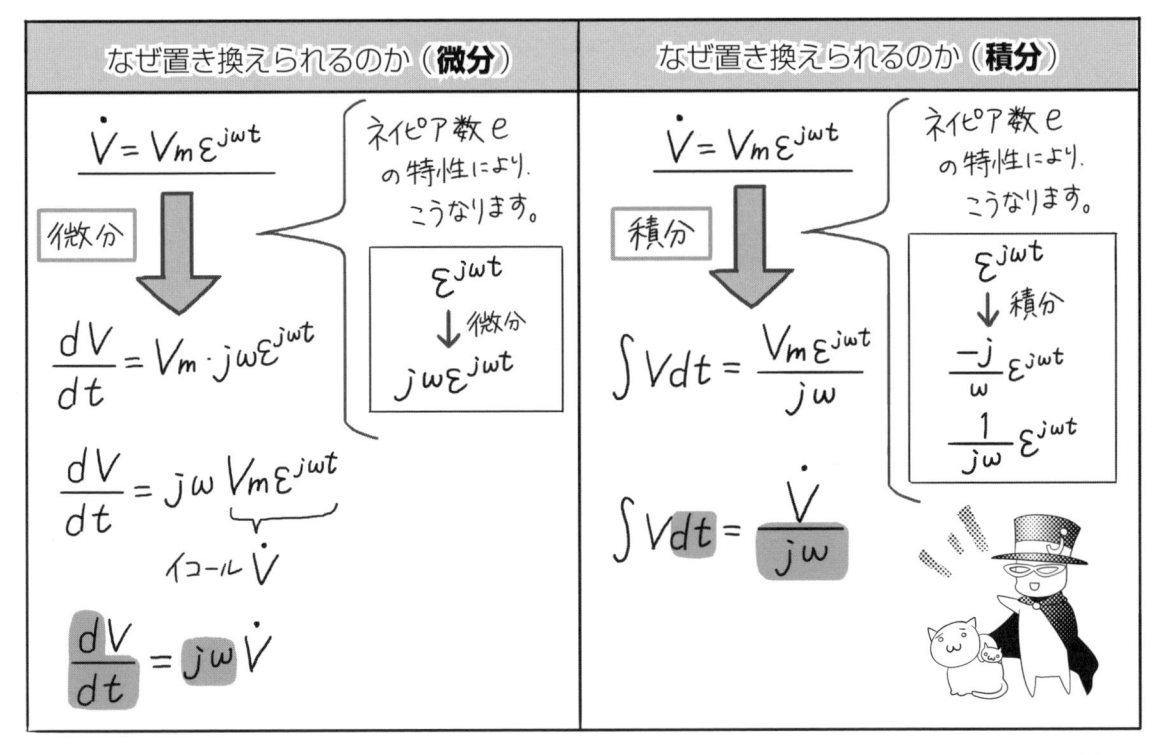

なぜ置き換えられるのか（微分）

$$\dot{V} = V_m \varepsilon^{j\omega t}$$

微分 ⬇

$$\frac{dV}{dt} = V_m \cdot j\omega \varepsilon^{j\omega t}$$

ネイピア数 e の特性により、こうなります。

$$\varepsilon^{j\omega t} \xrightarrow{微分} j\omega \varepsilon^{j\omega t}$$

$$\frac{dV}{dt} = j\omega \underbrace{V_m \varepsilon^{j\omega t}}_{\text{イコール } \dot{V}}$$

$$\boxed{\frac{dV}{dt} = j\omega \dot{V}}$$

なぜ置き換えられるのか（積分）

$$\dot{V} = V_m \varepsilon^{j\omega t}$$

積分 ⬇

$$\int V dt = \frac{V_m \varepsilon^{j\omega t}}{j\omega}$$

ネイピア数 e の特性により、こうなります。

$$\varepsilon^{j\omega t} \downarrow 積分$$
$$\frac{-j}{\omega}\varepsilon^{j\omega t}$$
$$\frac{1}{j\omega}\varepsilon^{j\omega t}$$

$$\int V dt = \frac{\dot{V}}{j\omega}$$

いつの間にか微分・積分をしている！？

それにしても、さっき微分積分が少し出てきただけで、焦りましたよー。
微積って、高校生の時もわけわかんなかったし、苦手なんですよね…。はぁ…。

お気持ちはわかります〜。
でも、微分積分は、変化の様子を調べる際に、根底となるもの。
曲線や波形とも、とっても縁が深いんですよ。少し説明するとこんな感じです。

- **微分**は…細かく分けて調べること。接線の傾きにより、変化の割合がわかる！

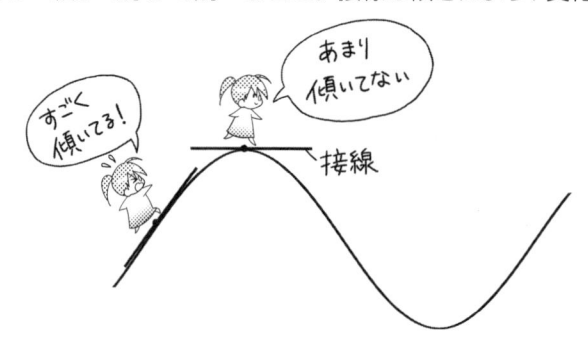

（すごく傾いてる！／あまり傾いてない／接線）

- **積分**は…分けたものをまとめてみること。面積や体積などがわかる！

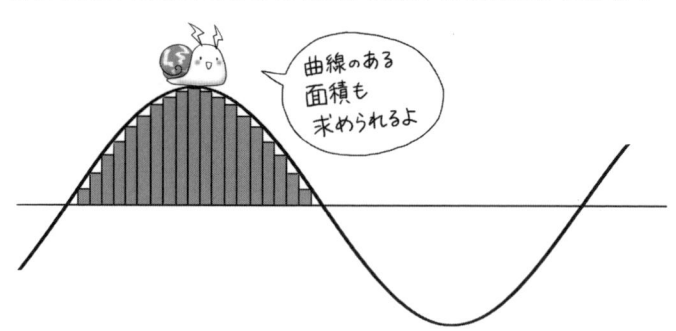

（曲線のある面積も求められるよ）

- そして、**微分**と**積分**は、**表裏一体**の関係にある！

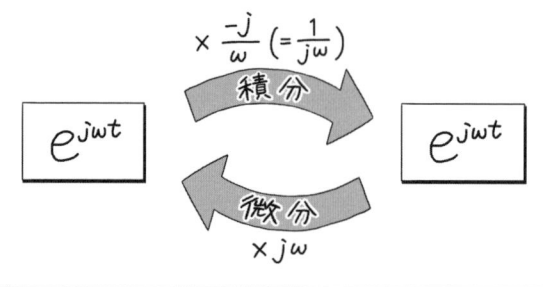

$$\times \frac{-j}{\omega} \left(= \frac{1}{j\omega}\right)$$

$e^{j\omega t}$ —積分→ $e^{j\omega t}$
←微分—
$\times j\omega$

🧑 曲線、波形、変化の様子…。あー、確かに微分積分は、電気を学ぶ上でも大事そうですね…。でも、やっぱり苦手だなぁ…。うぅ…。

👧 大丈夫ですよ〜。青沼さんは気付かないうちに、すっかり微分積分に親しんでいるんです。**位相**を考えるため、jを使いましたが、実は…。

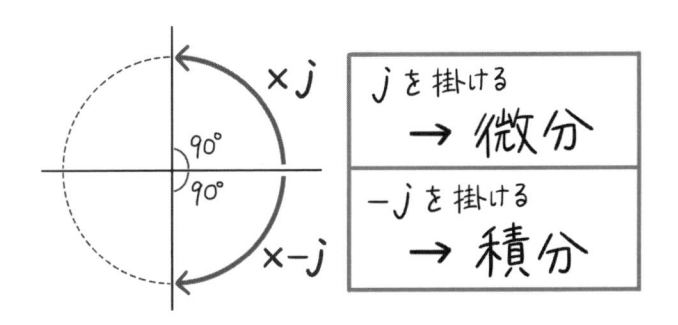

$\times j$	jを掛ける → **微分**
$\times -j$	$-j$を掛ける → **積分**

jを掛ける = 位相が90°進むことは、**微分する**ことと同じ意味。
$-j$を掛ける = 位相が90°遅れることは、**積分する**ことと同じ意味なのです。

🧑 へぇー！ 複素数のおかげで、いつの間にか微分・積分をしてたってわけですね。

👧 また、先程の式のように、こんな置き換えが出来ることもあります。

d/dt（微分）　⇩　$j\omega$

$\int dt$（積分）　⇩　$1/j\omega\ (=-j/\omega)$

$$\frac{1 \times j}{j\omega \times j} = \frac{j}{j^2 \omega} = -j/\omega$$

この場合には、位相だけでなく、大きさも考慮するのでωがついています。
『微分することは、90°の回転と共に、振幅をω倍すること』
…なーんて意味だったりします。

🧑 ほぉー。とにかく、位相の場合には、jと$-j$を利用。
式が置き換えられる場合には、$j\omega$と$-j/\omega$（$=1/j\omega$）を利用することで、**簡単に微分・積分が出来る**ってわけですか。こりゃお得ですね！

4 三相交流回路

電線に注目しよう！

ちょっと窓失礼しますね

カラ…

え、あ…はい

あ！いました、いましたスズメさん

ざばっ!!

スズメ？

チュン チュン

さて次のお話は**電線について**です

これもまた電気数学的にみて楽しいんですよ〜

3本の電線にみんな仲良くとまってますね〜かわいい〜

そうですか……

単相交流と三相交流

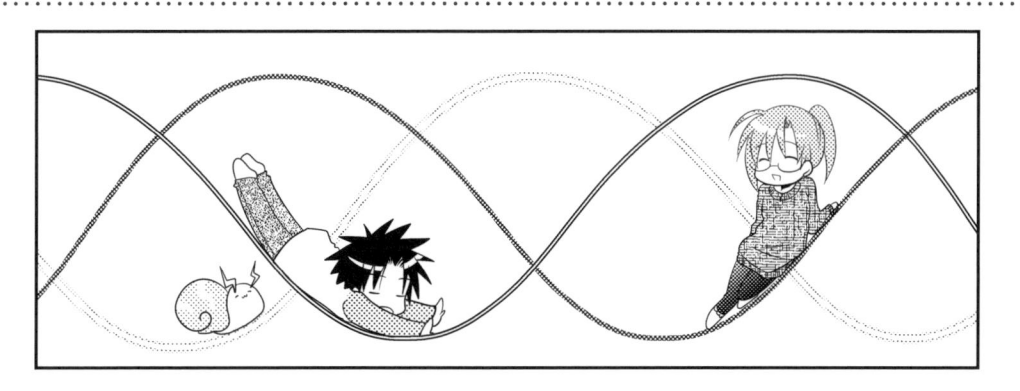

まずは、『**単相交流**』と『**三相交流**』についてお話しましょう。

一般家庭のコンセントは『**単相交流**』で、電圧や電流の波形は1つですー。

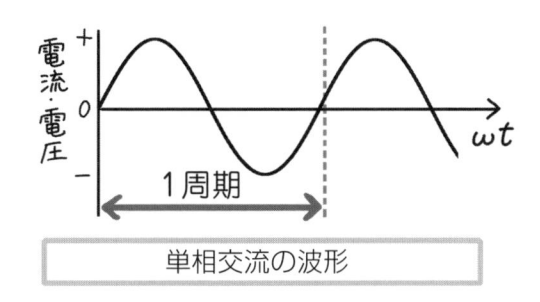

単相交流の波形

ふむふむ。今まで習ってきたものですね。

一方、会社や工場の業務用の電源、電信柱の**電線**などは『**三相交流**』なのですー。

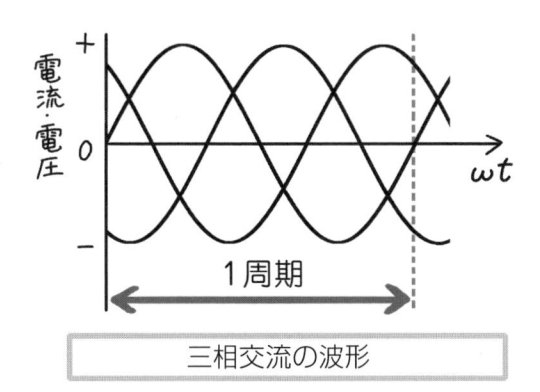

三相交流の波形

えええぇ！！ 波形が3つありますよ！？

181

三相交流は、電力を供給する上でとても効率がいいのです。
家庭に供給されている電力も、途中はずっと**三相交流**。
電柱の**変圧器**によって、初めて**単相交流**に変換されているんですよ。

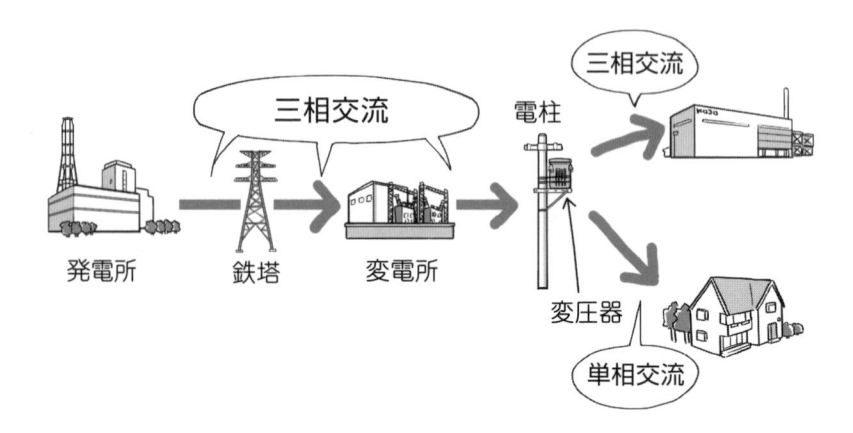

あ～！ 電柱の上の方に何かありますよね。あれって変圧器だったのかぁ。

また、単相交流が回転ベクトルで表せるように、**三相交流も、回転ベクトル3本で表すことが出来るんです。**
電流のベクトル3つを、$\dot{I}_a$, $\dot{I}_b$, $\dot{I}_c$ として図にすると、こんな感じです！

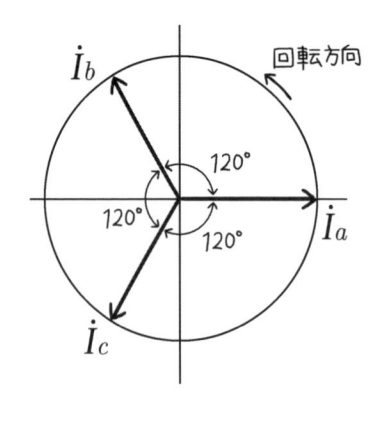

どの瞬間でも、電流の合計はゼロになっています。

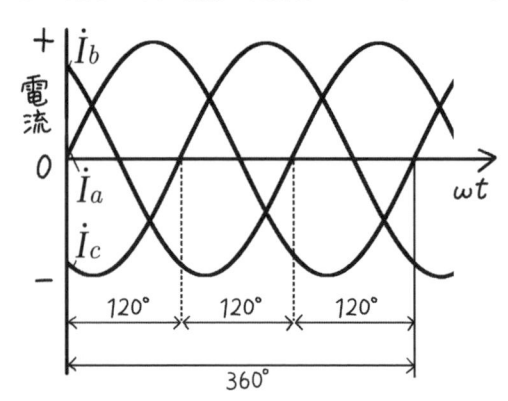

三相交流を表す3本の回転ベクトル

ふむふむ。それぞれの電流同士の**位相は120°**なんですね。

182　第4章　複素数

三相交流の回路図

さて次は、三相交流の**回路図**を考えてみましょう！
どんな図になるか、想像つきますか？

うーん。単相交流の回路図は、こうですよねえ…これが3倍になるのか…？

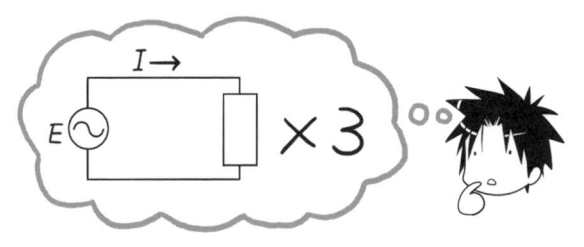

基本的な考え方はそうですね。
では実際に、単相交流の回路3つを組み合わせてみましょう〜。

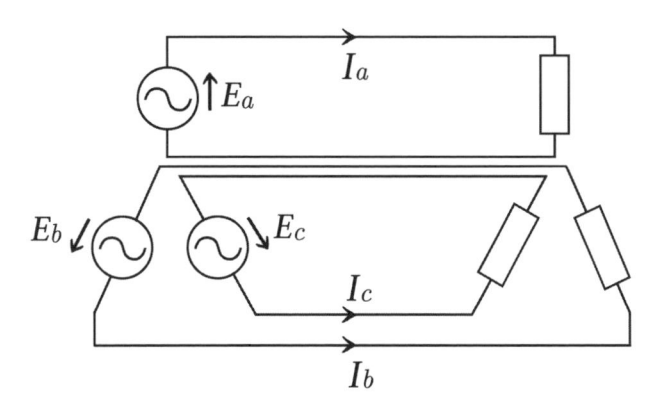

おぉっ、すごい形！ 電線も多くなりますね。

183

多いですよねー。でも実はこの電線は、**省略していくことが出来ます。**
まず、マルで囲った部分の3本の電線は、共通の1本にすることが出来ます。

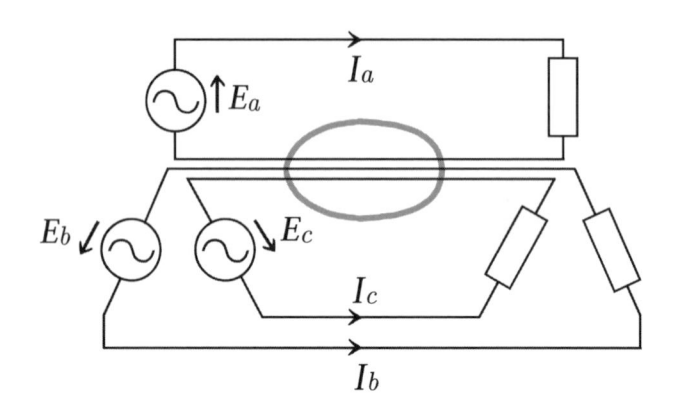

I_a, I_b, I_c の電流の大きさは同じ、そして位相がありズレているので、この電線は共有しても問題がないのです。

ふむふむ。
そうすると、下図のように電線は合計4本になりますね！

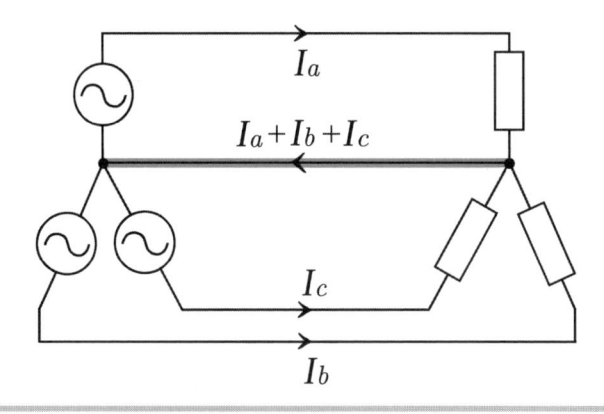

図a 電線を共有している様子

はい！ でも、ここからさらに、省略することが出来ます。
実は、この1本にまとめた電線は、無くしてしまっても大丈夫なのですー。

えっ！？ さらに省略ですか？

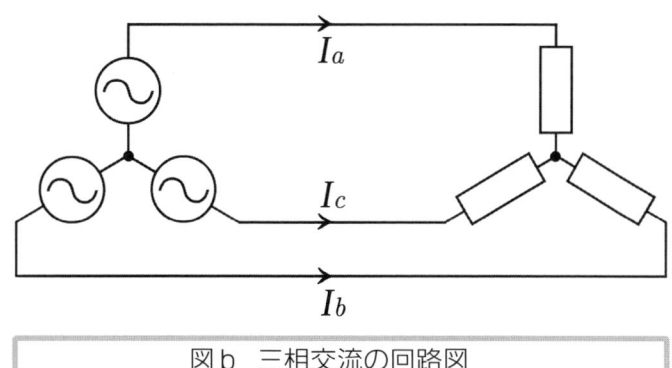

図b　三相交流の回路図

😊 さあ、完成しましたよー！　これが、**三相交流の回路図**です。
この3本の電線が、電信柱で見かける3本の送電線に相当するわけなんです！

😠 あー、確かに電柱の電線は3本ですね。でも、こんなに省略していいんですか？
ケチって節約し過ぎても、何か支障が出るんじゃ…。

😌 大丈夫ですよ〜。電気数学的に考えても、全く支障はありません。
実は、さっきの「図a　電線を共有している様子」の $I_a + I_b + I_c$ の電線に
流れる電流はゼロだったんです。

😲 え〜！　あの部分には、電流は流れないんですか？
だったら、電線があっても無駄だし、無くしてもいいですよねえ。
でも、本当に電流ゼロなんですか？　不思議だなぁ…。

😊 うんうん、不思議ですよねー。この電流ゼロは、計算で証明できちゃいます。
問題として解いてみましょう！

次の証明問題では
**弧度法、指数関数、
オイラーの公式**の
3つが重要ポイントですよ

さっきから
3ばかりだー…

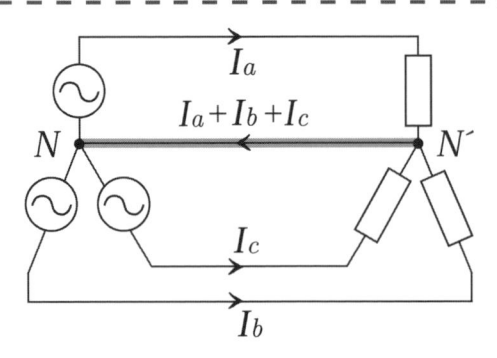

Q 問題 電流ゼロを証明してみよう！

上図に示すような三相交流回路において、N と N' の間に流れる電流がゼロであることを証明せよ。

考え方

三相交流回路の位相は、それぞれ **120°** でしたね。（P.182 参照）
120° を**弧度法**で表して**指数関数**を利用すると、3つの電流はこんなふうに表せるのです。

指数関数表示
$$\dot{A} = A\varepsilon^{j\theta}$$
を利用すると…

$$\dot{I}_a = |I|$$
$$\dot{I}_b = |I|\varepsilon^{j\frac{2}{3}\pi}$$
$$\dot{I}_c = |I|\varepsilon^{j\frac{4}{3}\pi}$$

120°
さらに 120°

また、この問題でも**オイラーの公式**がとても重要です。
計算の際には、こちらの表も参考にしてみてくださいね〜。

θ	120°	135°	150°	180°	210°	225°	240°	270°	300°	315°	330°	360°
[rad]	$\frac{2}{3}\pi$	$\frac{3}{4}\pi$	$\frac{5}{6}\pi$	π	$\frac{7}{6}\pi$	$\frac{5}{4}\pi$	$\frac{4}{3}\pi$	$\frac{3}{2}\pi$	$\frac{5}{3}\pi$	$\frac{21}{12}\pi$	$\frac{11}{6}\pi$	2π
$\sin\theta$	$\frac{\sqrt{3}}{2}$	$\frac{1}{\sqrt{2}}$	$\frac{1}{2}$	0	$-\frac{1}{2}$	$-\frac{1}{\sqrt{2}}$	$-\frac{\sqrt{3}}{2}$	-1	$-\frac{\sqrt{3}}{2}$	$-\frac{1}{\sqrt{2}}$	$-\frac{1}{2}$	0
$\cos\theta$	$-\frac{1}{2}$	$-\frac{1}{\sqrt{2}}$	$-\frac{\sqrt{3}}{2}$	-1	$-\frac{\sqrt{3}}{2}$	$-\frac{1}{\sqrt{2}}$	$-\frac{1}{2}$	0	$\frac{1}{2}$	$\frac{1}{\sqrt{2}}$	$\frac{\sqrt{3}}{2}$	1

A. 解答

$$I_{NN'} = I_a + I_b + I_c$$
（NN' 間の電流）

$$= |I| + |I|\varepsilon^{j\frac{2}{3}\pi} + |I|\varepsilon^{j\frac{4}{3}\pi}$$

$$= |I|\{1 + \underline{\varepsilon^{j\frac{2}{3}\pi}} + \underline{\varepsilon^{j\frac{4}{3}\pi}}\}$$

この部分について考えています！

> **オイラーの公式**
> $\varepsilon^{j\theta} = \cos\theta + j\sin\theta$ を利用して
>
> $$\varepsilon^{j\frac{2}{3}\pi} = \cos\frac{2}{3}\pi + j\sin\frac{2}{3}\pi \quad (120°)$$
>
> $$= -\frac{1}{2} + j\frac{\sqrt{3}}{2}$$
>
> $$\varepsilon^{j\frac{4}{3}\pi} = \cos\frac{4}{3}\pi + j\sin\frac{4}{3}\pi \quad (240°)$$
>
> $$= -\frac{1}{2} - j\frac{\sqrt{3}}{2}$$

$$= |I|\left\{1 + \left(-\frac{1}{2} + j\frac{\sqrt{3}}{2}\right) + \left(-\frac{1}{2} - j\frac{\sqrt{3}}{2}\right)\right\}$$

$$= 0$$

> おー、確かに証明できました！ これで電線は1本不要。
> 電柱の電線のように、合計3本になるってわけですね。

スズメはどうして感電しないのか？

連続で問題ですか！

でも気合い入れて頑張りますよ

よーし！

さらにもう1つ問題を解いて今日の授業を締めくくりましょう

では問題です！

電線のスズメはなぜ感電しないのでしょうか！？

すずめ

小学生の質問みたいですね…
でも、言われてみればなんででしょう

もしかしてああ見えて実は感電してるんですか？

電圧がそんなに高くないから平気とか…

ブー！残念！ハズレですね

あの電線は6600Vほどの**高圧電線**※になっています

6600Vかぁ それは高いですね

DANGER!

同じ電力を送る場合は電圧を高く、電流を少なくした方がロスが少ないんです

うふふ…

※交流の場合、600Vを越えるものを高圧といいます。

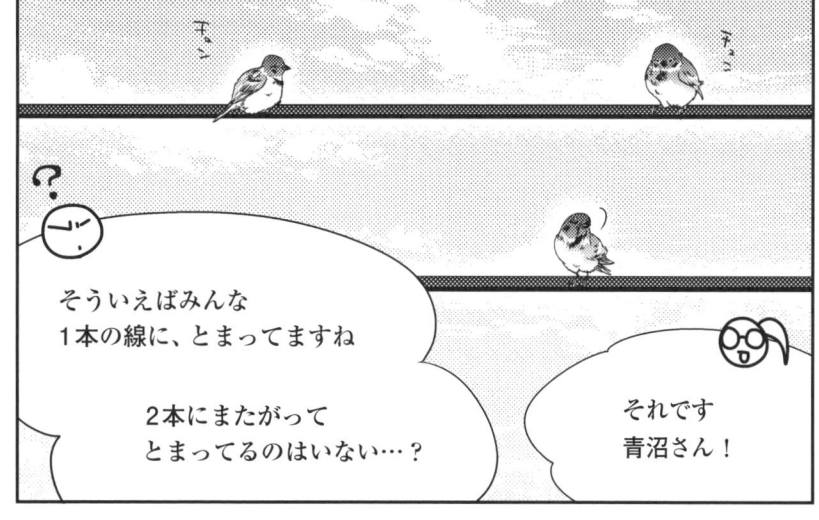

電力　電圧×電流
P = E I

電線に電流が流れるときに『渦電流』という渦状の電流が生まれてしまいます

渦電流は熱に変換され**電力の損失になってしまうので、**

渦電流を少なくするために電流は少なく、電圧は高くなっているんですね

あの電線はカバーを被せてありますが、それでも直接触れると感電しちゃうと思います

6600Vも感電…！！

たたた大変だスズメども！！

逃げろ！！！！

大丈夫ですよー元気にチュンチュンしてるじゃないですか

それよりもスズメさんの足元に注目してみてください！

足元……

ん？

そういえばみんな1本の線に、とまってますね

2本にまたがってとまってるのはいない…？

それです青沼さん！

6600Vの高圧電線

両脚の電圧は、どちらも同じ

あー、なるほど…
鳥の両脚くらいの
ちっちゃい間隔なら
電圧差がないってことですね

電圧差がなければ
電流は流れませんもんね！

実はこのように、1本の電線だけに
とまっている場合は
「スズメの両脚に電圧差がないので
スズメには電流が流れない」のです

他にも
次のような説明が出来ます

スズメの右脚と左脚の間の
電線の抵抗は、ゼロ

それに比べて
スズメの体の抵抗は大きい

抵抗どーん！

抵抗ゼロ

なので、電流は
スズメの体内を通ることなく
電線の方だけを通っている！

あー これも
わかりますねぇ

電気はスズメを無視して
流れてっちゃいそうですよね…

※非常に僅かな電圧差や抵抗は、無視できるものとします。

ここで注意しなきゃいけないのは電線が1本ではないときです…

CHECK!
6600Vの高圧電線同士でも、位相差によりある瞬間の電圧は異なります。

電圧(高)
電流
感電!
電圧(低)

バチーン

2本の電線に触れた場合は即、電圧差によって電流が流れ…

感電してしまいます…！

おお…スズメ…

要するに電圧差があれば感電してしまうということです

実際にはスズメは体が小さいので、2本には触れないと思いますけどね

でも、ごくまれにカラスや蛇が感電して停電になることもありますし…
感電死はたとえ動物でも悲しくなってしまいます

最近の市街地では**絶縁電線**※というものが使われていて感電しないこともありますが…

青沼さん気をつけてくださいね…？

真剣な目…

そ…そのぐらいの常識はあります…！！

※絶縁電線は、電気が通る金属部分が、絶縁体（電気を通しにくい物質）で覆われています。

今日も一日
お疲れさまです
次の授業は
年明けですね～
……あ、はい
お疲れさまでした
どうしました？
もしかして
わからないとこ
ありましたか？
今日は確かに
ちょっと
詰め込み過ぎ…
いやっ…
そ、そうじゃ
なくて…
……
た、橘さんの
下の名前とか
知らないなぁって
急に…思って…

何言ってんだ俺は！！

確かにそう思ったのは事実なんだけどなんで口に出した！！

すすっ…すみませすみません！！嘘です嘘！

ちょっと気になっただけなんです深い意味はないんでっ…

わ

橘さんがあんなに暗くなるなんて初めてだもんなぁ…

…そうですかじゃあ…年明けにまたあの公園でよいお年を

はい！よいお年を！！

はー…
…いきなり馴れ馴れしいとか思われたかな〜…

あーあ…

やっちまったかなこりゃ…

第5章

方程式・不等式で解ける電気回路
（その2、交流回路）

――― 1月3日

うう〜…
あっという間に年が明けてしまった…

…一応約束してるけど…
橘さん来てくれるのかな

年末にあんな
別れ方しちまったし…

善意でやってくれてる
ことだしな…
お断りされても
文句言えないし

来なかったら…
あきらめよう…

青沼さんっ！

！！

あの…その…
あ、あけまして
おめでとうございます…！
な、なんか今日外出するって
話したら母が張り切って
着せてくれまして…！
もうっ…！
な、なんか浮かれてる
みたいですよね
すみません！！
ぽーーぜん
そ…それであの…
さすがにこの格好で勉強は
恥ずかしいので…
今日もお家にお邪魔
したいのですが…
…青沼さん？
ばッ
あ、いや…
ははっ…
…いつもの橘さんだ
よかった…！！
そして かわいい…！
どうぞどうぞ！
来てください！
レッツゴー！
すみません
ホントにもー…！

1 2次方程式、2次不等式の解き方

2次方程式と2次不等式

ふう…
年始早々すみません

では早速
まいりましょう！

今日は電気数学の
問題をどんどん
解いていきますよ～！

電気数学の
問題集

電気数学の問題…ですか？

問題を解くためにも、
まずはこれらを
しっかり復習しましょう

中学や高校で習っている
はずなので、解き方も
すぐに思い出せると
思いますよー

$$ax^2 + bx + c = 0$$
2次方程式

$$ax^2 + bx + c > 0$$
$$ax^2 + bx + c < 0$$
2次不等式

はいっ
こういう式に
見覚えありませんか？

あー、あります
2次方程式、2次不等式ですね

未知数 x の次数が2で、
x^2 になってる式…

はは…

…だと
いいんですけど

今日解く問題は、
生活の身近な所にも
関わってます
例えば、この
ラジオとかですね！
おぉ…ラジオ！
あのとき世話になったなぁ…
お前のためにも頑張るか…！
苦手だと思うものも
身近に感じると
興味湧きますよね～
他にも電車やエアコンについて
お話します
もや
もや
もや
もや
さあイメージして～！
興味を持ちましょう～！
普段はあんまり気にかけてない
ものですもんね～…
…はっ！ そうか
電車も電気なんですね！
電気を使ってるから電車か…！
あたりまえすぎて
つい…！
ヒドィ！
声沼さん…それはちょっと
気にかけなさすぎですぅ…

解の公式

それでは、まず2次方程式の解き方を思い出してみましょう。
この方程式の**解の公式**は、次のようになります。

$$ax^2 + bx + c = 0 \quad \xrightarrow{\text{解の公式は…}} \quad x = \frac{-b \pm \sqrt{b^2 - 4ac}}{2a}$$

あー、こういうの暗記させられた気がします…。

ここで大事なのは、ルートの中！

$$x = \frac{-b \pm \sqrt{\boxed{b^2 - 4ac}}}{2a} \quad \leftarrow 判別式 D$$

$b^2 - 4ac$ を、**判別式D**といいます。
このDの値により、2次方程式の解の個数がわかるのです。
2次方程式と、解の個数の関係は、次のようになります。

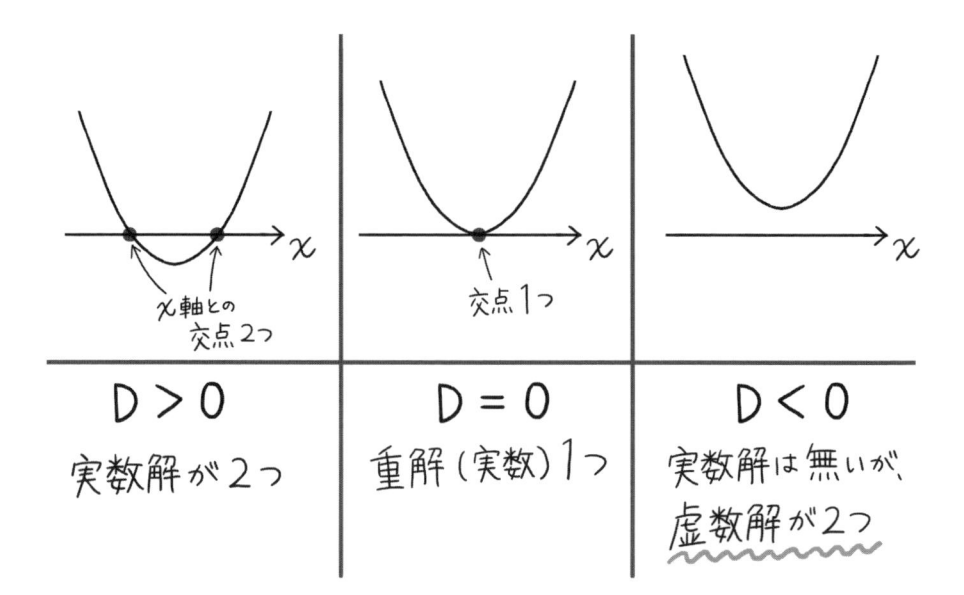

x軸との交点2つ	交点1つ	（x軸と交わらない）
D > 0	D = 0	D < 0
実数解が2つ	重解（実数）1つ	実数解は無いが、虚数解が2つ

第5章 ⚡方程式・不等式で解ける電気回路（交流回路）

なるほど。$b^2 - 4ac < 0$ のとき、つまり**ルートの中がマイナスになるとき**、**解が虚数**になるんですね。
そして、解の公式にプラスとマイナスがあるから、解は2つになる…と。

そうです！　そもそも、D＜0の2次方程式になんとか解を出すために、虚数が生まれたのです（P.154 参照）。
また、D＜0の場合は、複素数での解をこのように表すことが出来ます！

$$x = \frac{-b \pm j\sqrt{4ac - b^2}}{2a} = -\frac{b}{2a} \pm j\frac{\sqrt{4ac - b^2}}{2a}$$

実部　　　虚部

へえ～！　解の公式も、実部と虚部に分けて考えられるんですね。

それでは、一般的な2次方程式の式を解いてみましょう。
因数分解（いんすう）についても、次で説明しますね。

数学例題

$x^2 + 3x + 2 = 0$ を解け。

【解き方】

これは、左辺が因数分解できる形なので、因数分解を行って解を求める。
$(x + 2)(x + 1) = 0$

となるので、この方程式は $x + 2 = 0$ か $x + 1 = 0$ を満たせばよい。
それぞれの解は、$x = -2$ または $x = -1$ となる。

なお、因数分解が難しい2次方程式 $ax^2 + bx + c = 0$ においては、
解の公式
$$x = \frac{-b \pm \sqrt{b^2 - 4ac}}{2a}$$

としておもむろに解いても良い。

整式の因数分解

因数分解…。その言葉の響きにも、なんか嫌な思い出が…！

まぁまぁ、まずは「**因数分解**」の意味を復習してみましょう。

$$(x-2)(x-3) \underset{\text{因数分解}}{\overset{\text{展開}}{\rightleftarrows}} x^2-5x+6$$

（$(x-2)(x-3)$ の各項が**因数**）

因数分解とは、1つの整式を2つ以上の整式の積で表すことです。
また、積をつくっているそれぞれの整式を**因数**といいます。

あー、その名の通り、因数に分解してる感じですねぇ。
「式の**展開**を、逆にしただけ」と思えば、少しは気がラクかも…。

ですねー。以下は大事な公式です。
しっかり目を通して意味を掴んでください。

因数分解の公式

1. $ma + mb = m(a + b)$ ･･･ 共通の因数でくくり出す

2. $x^2 + (a+b)x + ab = (x+a)(x+b)$ ･･･ 和が $(a+b)$, 積が ab の形

3. $x^2 + 2ax + a^2 = (x+a)^2$ ･･･ 上式で $a = b$ の場合

4. $x^2 - 2ax + a^2 = (x-a)^2$ ･･･ a が負の場合

5. $x^2 - a^2 = (x+a)(x-a)$ ･･･ 平方どうしの差

6. $acx^2 + (ad+bc)x + bd = (ax+b)(cx+d)$ ･･･ 一般的な因数分解

7. $a^3 + b^3 = (a+b)(a^2 - ab + b^2)$

8. $a^3 - b^3 = (a-b)(a^2 + ab + b^2)$

ではさっそく、先程の「公式6」を使って、一般的な因数分解をしてみましょう。

数学例題

$5x^2 - 7x - 6$ を因数分解せよ。

【解き方と答え】公式6において、$ac = 5,\ ad + bc = -7,\ bd = -6$ となる a, b, c, d を求めれば良い。

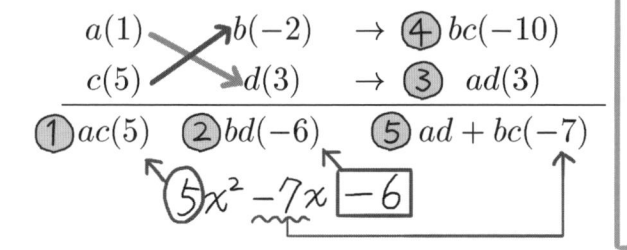

$$
\begin{array}{ll}
a(1) \searrow b(-2) & \to \ ④\ bc(-10) \\
c(5) \nearrow d(3) & \to \ ③\ ad(3) \\
\hline
①\ ac(5) \quad ②\ bd(-6) \quad ⑤\ ad+bc(-7)
\end{array}
$$

$5x^2 - 7x - 6$

求める際の手順
① $ac=5$ になる a と c を考える
② $bd=-6$ になる b と d を考える
③ たすきがけで、ad を出す
④ たすきがけで、bc を出す
⑤ $ad+bc$ が -7 なら正解！

このように、$a = 1, b = -2, c = 5, d = 3$ となればよいので、
$$5x^2 - 7x - 6 = (x-2)(5x+3)$$

ふむ。因数分解はわかったけど…。でも結局、これって何の役に立つんだろ…。

そうですねー。ここで簡単な例を挙げてみましょうか。
突然ですが青沼さん、**61 × 59 を暗算**してみてください。ほらっ！

え！？　普通に無理ですよっ！！

ふふふ。実はこれ、さきほどの「公式5」！
$x^2 - a^2 = (x+a)(x-a)$ を使えば、すぐ答えが出ます。
$61 \times 59 = (60+1)(60-1) = 60 \times 60 - 1 \times 1 = 3600 - 1 = 3599$
…と頭の中で計算出来ちゃうんです。簡単で便利ですよね〜。

うっ、ホントだ。ちょっと悔しい…！

因数分解を知っていれば、数式に対して色々な捉え方が出来るようになります。
数を見る目が変わり、数式の扱いも上手くなるんですよ。

連立不等式の解き方

さて、ここで連立不等式の解き方を思い出しておきましょう。
それぞれの式の答えを、**同時に満たす領域**を解とします。
その領域が無い場合は、**解なし**となります。

数学例題

$$\begin{cases} 3x - 2 > 4 \\ x + 2 \leq 7 \end{cases} \text{を解け。}$$

【解き方と答え】上の方の不等式 $3x - 2 > 4$ は、$3x > 6$ となるので、両辺を3で割ると、$x > 2$ となる。
下の方の不等式 $x + 2 \leq 7$ は、$x \leq 5$ となる。
したがって、二つの答えを同時に満たす領域をとると、$2 < x \leq 5$ である。

あー、「同時に満たす領域」って、日常でも良くありますよね。
アパートを探していて、俺の支払える家賃は月5万円以下。
賃貸物件は、月2万円より大きい金額なら、いくらでもある。
そうすると、俺が借りるのは「2万円より大きく、5万円以下」の部屋ですもんね。

うんうん。まさにそういう感じです。そのとき、月6万以上の賃貸物件しか無ければ、解なし――借りられるお部屋が無いってことになりますねー。

せ、切ない例えです…。

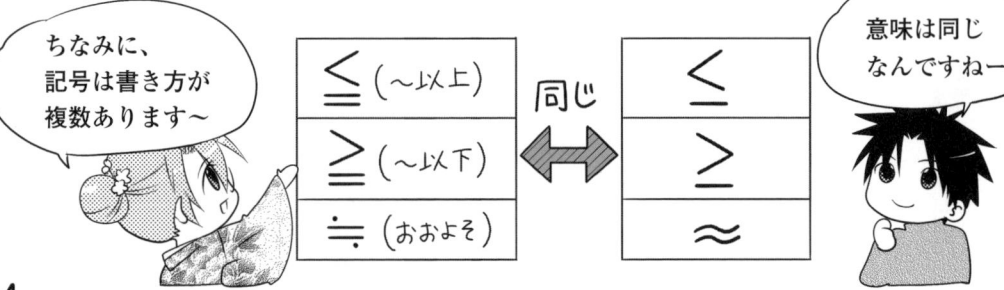

ちなみに、記号は書き方が複数あります〜

$\leqq$	(〜以上)
$\geqq$	(〜以下)
$\fallingdotseq$	(おおよそ)

同じ ↔

$\leq$
$\geq$
$\approx$

意味は同じなんですねー

2次不等式の解き方

では次に、**2次不等式**の解き方をお話します。
2次不等式を解くためには、まず**2次方程式**を考えることが大切なんです。

$$ax^2 + bx + c = 0$$

この式が、2つの実数解を持つときのことを考えてみましょう。
実数解2つを、αとβとします。

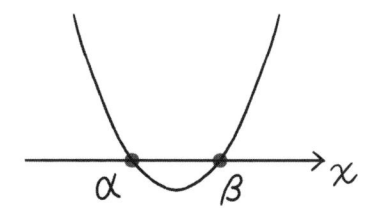

ふむふむ。α<βですね。

このとき、2次不等式の解は、次のようになるのです。

$ax^2 + bx + c > 0$
の解は、

$x < α , x > β$

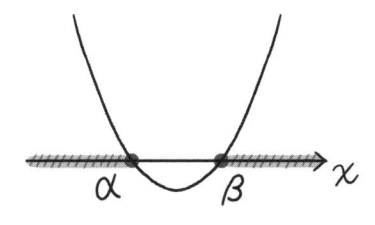

$ax^2 + bx + c < 0$
の解は、

$α < x < β$

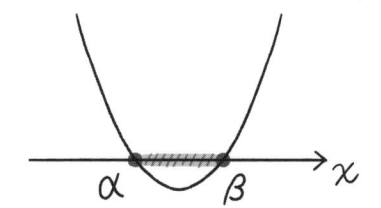

ほぉ～、元の式の不等号によって、解も変わるんですね。

はい！ ですので、**不等号の向き**には、よぉーく気をつけてください。

2 ラジオに関する電気数学の問題

同調ってなんだろう？

青沼さん、いつも通りラジオを聞いてみてください

あ、はい

ではいよいよ**ラジオ**に関するお話に入りましょう！

トン

コツがいるんですよ
こいつをマトモに動かすには

まずはこの角度から軽くいって…
気合いを入れて…

ポンコツさんなんですね…

聞きたい番組かぁ…
いまの時間は…

って

おめでとうございます
では聞きたい番組を選局してください～

ドリャ!!

ピロッ！ガガガ ザザー ピー

そういえばラジオの選局って**周波数**になってますよね

このダイヤルで、聞きたい番組の周波数をラジオに指定してるってことなのかな…

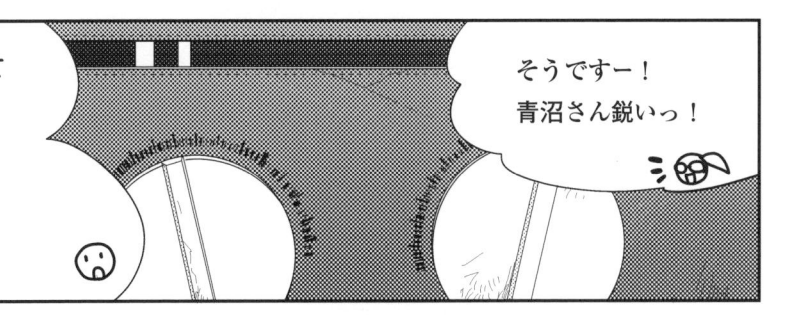

そうですー！青沼さん鋭いっ！

ご存知のようにラジオには色々な放送局がありますよね？

ラジオとは音声の情報を電波に乗せて放送する仕組みです。

そして私たちは、放送局が各々発している電波をこのラジオで受信しているのです。

ラジオ放送局　一覧表

AM		FM	
TBSラジオ	954KHz	TOKYO FM	80.0MHz
文化放送	1134KHz	J-WAVE	81.3MHz
ニッポン放送	1242KHz	Inter FM	76.1MHz
NHK第一放送	594KHz	NHKFM東京	82.5MHz

＊東京地区の場合

つまりラジオがないから聞こえないだけで普段も放送局からの電波が、複数私たちの周りを飛び交っています

放送局を選ぶということは、この飛び交っている複数の電波から受信したい電波（電流）の周波数を選び取るということなんですね

ちゃんと周波数を選び取らないとノイズが入ってしまいますよねー

それはラジオが迷って数種類の電波を受信してしまってるということなんです

なるほどー…

ラジオのように、ある特定の周波数の電流を選び取ることを『同調(どうちょう)』といいます

この同調に必要なのが―…

わっ…!
また出てきた…

コイルとコンデンサです!

選局のためにダイヤルを回していたとき、ラジオの中では
このコイルくんとコンデンサくんが働いてくれていました

同調とは、
コイルとコンデンサの共同作業によるものなのです!

そうか…お前らあのとき…

助けてくれて
ありがとよ…!

??

クリスマスの思い出。

共振周波数

ではこれから、『**同調**』の仕組みについて詳しくお話しましょう〜。
まずはコイルとコンデンサの特徴を思い出してください。

誘導リアクタンス（交流における**コイル**の抵抗）は、周波数に**比例**
容量リアクタンス（交流における**コンデンサ**の抵抗）は、周波数に**反比例**
するんでしたね（P.120 参照）。

あー、そういえばそんな話がありました。なんだか**正反対の性質**ですよね。

そこが重要なんです！ 正反対の性質の**コイルとコンデンサを組み合わせる**ことにより、同調の役割を持つ回路——『**同調回路**』を作ることが出来ます。

下のグラフを見てください。
これは**周波数**により変化する、**誘導リアクタンスと容量リアクタンス**の様子です。
周波数を少しずつ変化させていくと、ある特定の周波数で大きな変化があります。

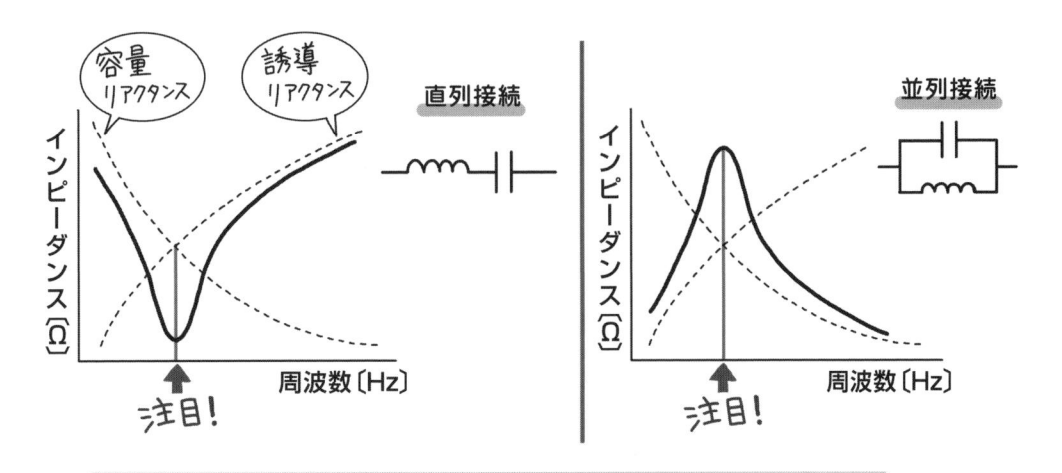

コイルとコンデンサによる同調回路
（誘導リアクタンスと容量リアクタンスが、周波数により変化する）

おおっ！ 誘導リアクタンスと、容量リアクタンスの曲線が交差するところで、**インピーダンスの大きさが、急に変わっていますね。**

はい！　この大きな変化が出ている部分を、**同調点**といい、このときの周波数を
共振周波数というのです。

直列接続を例に挙げてお話ししましょう。
つまり、インピーダンスを最小にする周波数が『**共振周波数**』なのですよー。

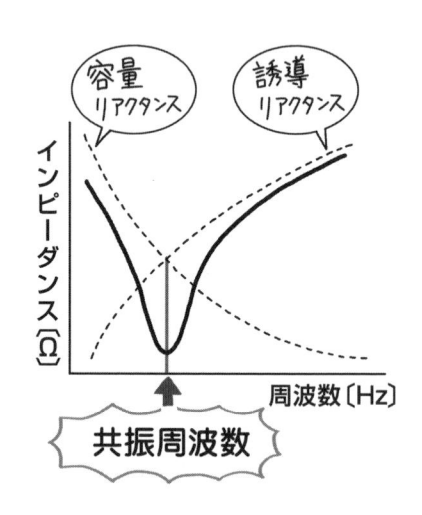

（図：容量リアクタンスと誘導リアクタンスの合成によるインピーダンス〔Ω〕対周波数〔Hz〕のグラフ。最小点が**共振周波数**）

えーと、じゃあ、**共振周波数**のときに、その直列回路の**インピーダンスは最小**。
オームの法則から、そのとき**電流は最大**ってことも言えますね。

その通りです！　先程のラジオの選局を思い出してください。
ある番組…例えば、NHK 東京 第1放送 594kHz が聞きたいとしたら…。
その周波数（594kHz）が、**共振周波数**になるようにすればいいのです！

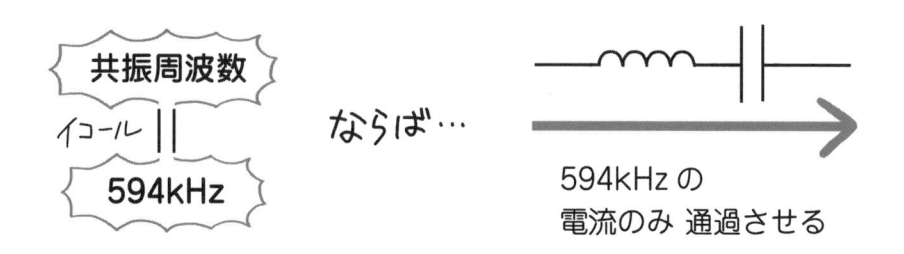

共振周波数　イコール　594kHz　ならば…　594kHz の電流のみ 通過させる

抵抗は最小、電流が最大になって、必要な周波数が手に入る。
同時に他の周波数に対しては、抵抗が大きくなって、不必要な周波数が混ざらないようになりますよ〜。

なるほど…！ それって、まさに**特定の電流を選び取る**『**同調**』の効果。
そうなるように、コイルとコンデンサが働いてくれるんですね。
それが、同調回路ってわけかあ。

…ん？ でも、どうやって、特定の周波数(例えば594kHz)を、**共振周波数**にするんですか？

ラジオの場合、**可変(かへん)コンデンサ**、通称**バリコン**というものがあります。
その名の通り、コンデンサのキャパシタス（＝静電容量、電気容量）**を変えることが可能**な部品です。

可変コンデンサの電気記号

あ〜、なんかわかったかも！
コンデンサの容量が変わると、容量リアクタンスが変わり、共振周波数も変わる。
可変コンデンサによって「特定の周波数が、共振周波数になるよう調節してる」
わけですね。

コイル　可変コンデンサ
僕が調整するよー！

特定の周波数の電流のみ

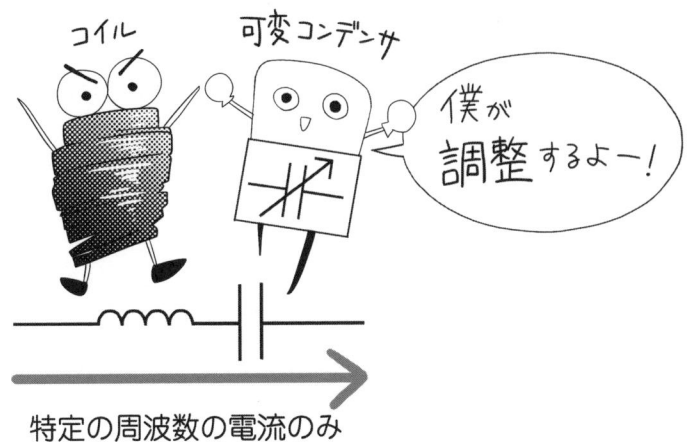

うんうん。同調や共振周波数については、しっかりわかったみたいですねー。
では、これらの話を踏まえつつ、問題いってみましょうー！

211

Q. 問題　共振周波数を求めよう！

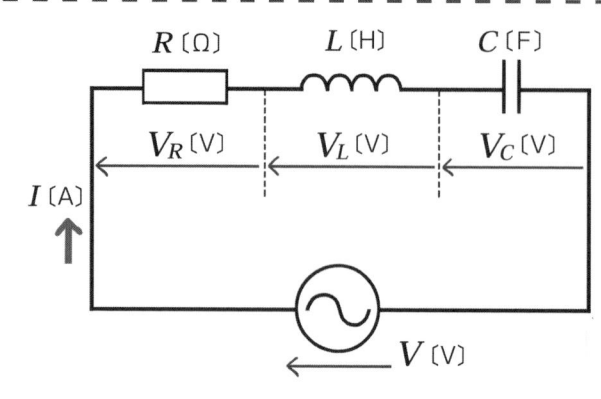

RLC直列回路における共振周波数 f を求めよ。角周波数を $\omega = 2\pi f$ とする。

考え方

ええぇ…。
共振周波数 f を求めるって、一体どうすればいいんだ…。

まずは、**共振周波数の定義**を思い出してください。
直列接続の場合、その回路におけるインピーダンスを最小にする周波数のことが、『**共振周波数**』でしたよね。

つまり、インピーダンスの大きさを考えて、それが最小になる場合を考えればいいんですよ。

なるほど。RLC直列回路における、インピーダンス Z は以前求めたことがありましたね！（P.172 参照）

はい。インピーダンスの式には ω が使われていますので、最後には、角周波数 $\omega = 2\pi f$ を利用して、f を求めてあげましょう。

A. 解答

この回路のインピーダンス $\dot{Z}$ は

$$\dot{Z} = R + j\left(\omega L - \frac{1}{\omega C}\right)$$

よって、インピーダンスの大きさ $|Z|$ は、

$$|Z| = \sqrt{R^2 + \left(\omega L - \frac{1}{\omega C}\right)^2}$$

共振周波数 f は、この $|Z|$ を最小ならしめる周波数であるので

$$\omega L - \frac{1}{\omega C} = 0 \quad \leftarrow \text{これなら}\sqrt{\ }\text{の中が最小になりますね！}$$

が成立する角周波数 ω を求めた上で、周波数に変換すればよい。

point! 最終的に求めたいのは f なので、その前段階として ω に注目しています。

この方程式は、　　　$\omega^2 LC - 1 = 0$ （全体にωCを掛けました）

$$\omega^2 = \frac{1}{LC}$$

と書き換えることが出来るので、

$$\omega = \pm \frac{1}{\sqrt{LC}}$$

であるが、物理的に負の周波数もしくは角周波数は考えない。

よって

$$\omega = \frac{1}{\sqrt{LC}}$$

$\omega = 2\pi f$ より

$$f = \frac{1}{2\pi\sqrt{LC}} \quad [\text{Hz}]$$

へぇ～！この式からも、共振周波数に**コイル**と**コンデンサ**が関わっているのが、わかりますね。

増幅とトランジスタ

それでは、引き続きラジオのお話です。
実際のラジオでは、同調と一緒に『**増幅**』ということが行われています。
同調で得た特定の周波数の電気信号を、もっと**大きくする**のです。
増幅には、**トランジスタ**というものが使用され、回路も**電子回路**となります。

ん？？ トランジスタ？ 電子回路？ 今までの電気回路とは違うんですか？

はい。今からお話するのは電気回路ではなく、もっと複雑な**電子回路**なのです。
電子回路は、RLC の他に、**ダイオード**や**トランジスタ**などといった**半導体素子**が含まれています。

ダイオード	トランジスタ
三角形の向きだけに電流を流し、その逆の方向には電流を流さない性質があります。	増幅、または電流を流すためのスイッチのような役割をします。

おぉ～、なんかハイテクっぽい。電流の流れも難しくなりそうですねえ…。

まあ、あまり構えず、シンプルに考えていきましょう～。
さっそくですが、これが、**同調増幅回路**ですっ！ どうぞー。

注目！

同調増幅回路

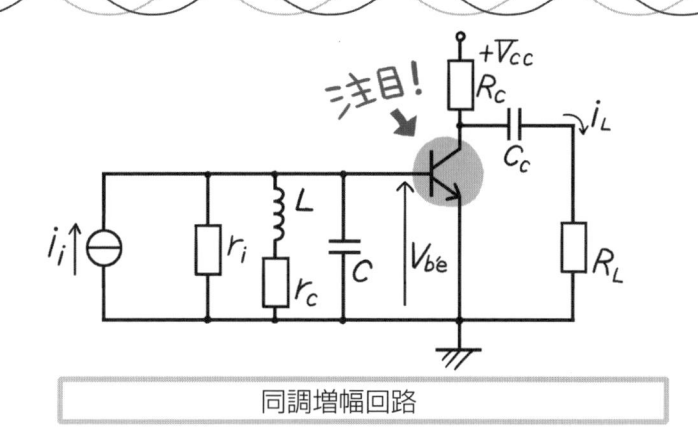

うわわわ、すげー難しそう…。トランジスタも、さっそくありますね。

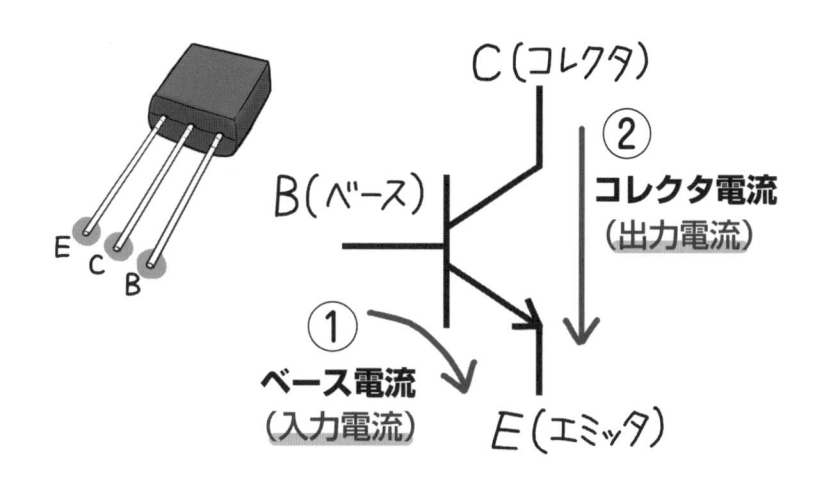

そう、ここで注目してほしいのは、**トランジスタ**です！
トランジスタは、E（エミッタ）、B（ベース）、C（コレクタ）という3本の端子を持っていまして、この3本の端子を使い、**増幅**の役割を果たすのです。

トランジスタの動作の様子

では、どのように増幅が行われるのかというと…。
回路に電圧を与えると、ベース・エミッタ間に電流が流れます。
これを『① **ベース電流**』といいます。
このベース電流を**きっかけ**にして、コレクタ・エミッタ間にも電流が流れます。
これを『② **コレクタ電流**』といいます。

ふむふむ。ベース電流のおかげで、コレクタ電流が流れる…と。

で、ここからが重要です。このコレクタ電流は、なんと！
ベース電流の**数十倍から数百倍の電流**になるんですよ！

えええ！　すっごく増えてるじゃないですか！？

はい。このようにして、トランジスタは、**増幅**の役割を果たすというわけです。
ベース電流のことを**入力電流**、コレクタ電流のことを**出力電流**といい、それらの比を『**電流増幅率**』といいます。
電流が、どれだけ増えたかを表しているんですねー。

$$A_i = \frac{i_{out}\text{（出力電流）}}{i_{in}\text{（入力電流）}} \quad \text{電流増幅率}$$

CHECK！　A_i が1以上であれば、
　　　　　出力電流＞入力電流なので、「増幅」しています。

ふむふむ。電流を増やしちゃったりして、すごいですねぇ、トランジスタ。

ええ。大活躍のトランジスタなのですが、ちょっと困った点もあります…。
実は、トランジスタがあると、**回路の解析が面倒**なんです。

インピーダンス、**周波数特性**※、**電流増幅率**などを求めるとき、トランジスタを含む電子回路では、とても計算していられません。

※**周波数特性**とは、周波数と何かの物理量の関係を示したものです。
　周波数により変化するグラフなどがあります。詳しくは、P.219 参照。

ええ〜と…。じゃあ、どうすりゃいいんです？？

うふふ。それを解決する手法が、『**等価回路**』なのですよ〜。

とーかいろ？

216　　第5章　方程式・不等式で解ける電気回路（交流回路）

等価回路

簡単に言うと、**等価回路**とは『電子回路のトランジスタなどを、RLCや電源に置き換えて、電気回路のように書き換えた回路のこと』なんです。
実際に、**同調増幅回路の等価回路**を見てみましょう！

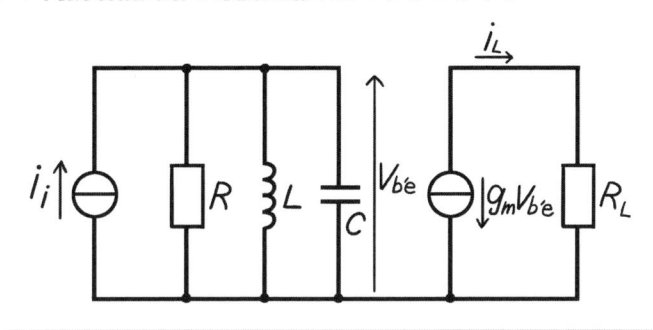

同調増幅回路における、高周波等価回路の簡略化

※**高周波**とは、一般的な電波のように周波数が高く、人間の耳には聞こえないものです。
それに対して、**低周波**は、人間の耳に聞こえるものです。

あ、確かにさっきより、すっきりした！ トランジスタも無くなったし。
でも、やっぱり見慣れない電気記号があるなぁ…。わかんない文字もあるし。

ちょっと難しく見えますよね〜。簡単に説明すると、こんな感じです。

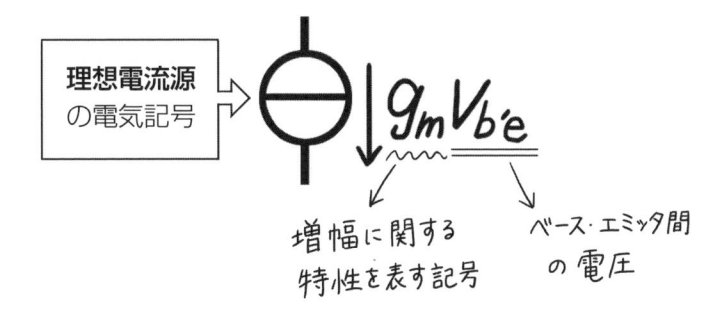

理想電流源の電気記号 → $g_m V_{b'e}$
増幅に関する特性を表す記号
ベース・エミッタ間の電圧

理想電流源は、電流がいくらでも発生する理想的な装置です。
回路を考えやすくする理論上のものと思ってください。

とにかく！ この回路図で大事なのは、回路の左側が**入力**側、右側が**出力**側を表しているということなんです。
わかりやすくすると、次のようになりますー。

i_{in}（入力電流）　　i_{out}（出力電流）

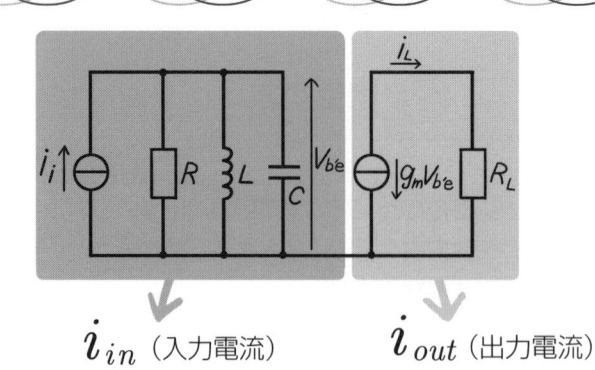

> おぉ！　はっきり分かれてますね。えーと、つまり、それぞれの電流を求めて、**比**にすれば**電流増幅率**がわかるわけかぁ。

> そういうことです〜。
> 結論を言うと、この回路の**電流増幅率**は、次のような式になるんですよ。
> 今は、「そういうもんなんだなー」と眺めておくだけで大丈夫です。

$$A_i = \frac{-g_m R_L}{1 + jR\left(\omega C - \dfrac{1}{\omega L}\right)} \quad \begin{array}{l}\leftarrow \text{出力電流} \\ \leftarrow \text{入力電流}\end{array}$$

> ほぉーー。と、とりあえず眺めておきます。

> さて、このように等価回路を用いることで、**同調増幅回路における電流増幅率**がわかりました。ここでもう1つ！　絶対に覚えて欲しいポイントがあります。

> うっ、まだ何かあるんですか…！？

> 青沼さん、ちょっと前にお話した**共振周波数**って覚えてますか？（P.209 参照）

> えっと〜、確かコイルとコンデンサの共同作業で…。
> 共振周波数のとき、**インピーダンス（交流の抵抗）は最小・電流は最大**になってましたよね。

> その通り！　実は、その**共振周波数**と今回お話した**電流増幅率**には、とても深い関係があるのですー。

下のグラフを見てください。このグラフの横軸は、周波数。
縦軸は、**電流増幅率の大きさ**を表しています。

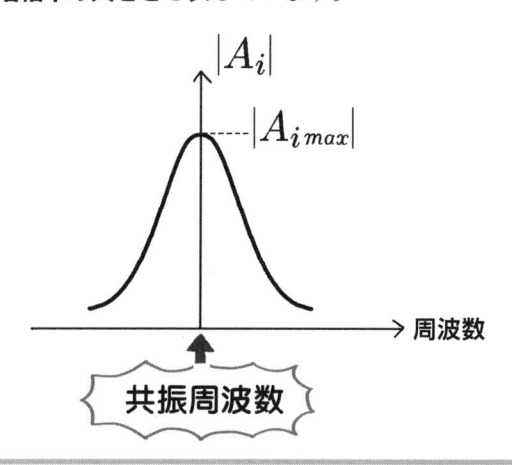

$|A_i|$

$|A_{i\,max}|$

周波数

共振周波数

同調増幅回路における、**電流増幅率の周波数特性**

※このように、周波数と何かの関係を示すものを、周波数特性といいます。

このグラフ…、**共振周波数のときに、電流増幅率が最大**になってますね！
へぇー！　ここでも、共振周波数が大事なんですねえ。

そうなんです〜！　この特性をしっかり覚えておいてください。
ここで、ちょっとまとめてみましょう。
青沼さんがダイヤルを回して、聞きたい番組に周波数を合わせたとき、ラジオの
中では何が起きていますか？

チャンネルは…

うーん。その周波数が共振周波数になるように、可変コンデンサが働いています。
共振周波数のとき、**インピーダンス（交流の抵抗）が最小**で、電流は最大。
それと同時に、**電流増幅率も最大**になってます。

バッチリですね〜、青沼さん。
では、それらを踏まえたうえで問題いってみましょう〜！

Q. 問題　可変コンデンサの範囲を求めよう！

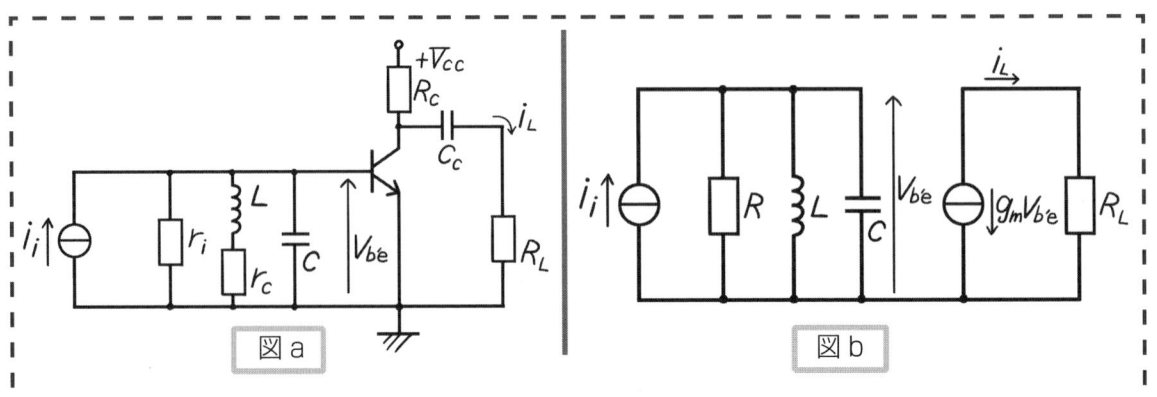

図a　　　　　　　　　　　図b

図aに示す同調増幅器において、AMラジオ放送が受信できるように、可変コンデンサCの取り得る範囲を設定せよ。なお、図aの等価回路は図bに示されるものであり、$L = 1\,[\text{mH}]$，$540\,[\text{kHz}] < f < 1600\,[\text{kHz}]$であるとする。
（※図a、図bは、P.215、P.217の回路図と同じものです。）

考え方

えーと、ラジオ放送が受信できる状況ってことは、同調増幅器の電流増幅率が最大ってことですよね。

はい！　この同調増幅器の電流増幅率は、さっき出てきましたね。

$$A_i = \frac{-g_m R_L}{1 + jR\left(\omega C - \dfrac{1}{\omega L}\right)}$$

これがどんなときに、最大になるか考えていきましょう。
角周波数 $\omega = 2\pi f$，$f = 2\pi / \omega$ も思い出してくださいね。

ふむふむ。問題文にある f と、電流増幅率の式にある ω が繋がっていきそうですね。

A. 解答

この同調増幅器の電流増幅率は、

$$A_i = \frac{-g_m R_L}{1 + jR\left(\omega C - \dfrac{1}{\omega L}\right)}$$

この式の大きさを最大にする $f = \omega/2\pi$ を求めると、受信される周波数が求められることになる。すなわち、A_i を最大にする周波数 f（角周波数 ω）は、

$$\omega C - \frac{1}{\omega L} = 0 \quad \text{から求められる。}$$

point! A_i の**分母**が最小であれば、A_i の大きさは最大になりますね。

この式を満足する ω は、

$$\omega = \pm \frac{1}{\sqrt{LC}}$$

であるが、$\omega > 0$ より、

$$\omega = \frac{1}{\sqrt{LC}}$$

マイナスの周波数は無いので

となる。この角周波数 ω にするための C の値は、

$$\omega^2 = \frac{1}{LC} \quad \text{(両辺を2乗)}$$

$$\omega^2 LC = 1$$

よって、

$$C = \frac{1}{\omega^2 L} = \frac{1}{4\pi^2 f^2 L}$$

$\omega = 2\pi f$ を代入

point! あとは、C の式に、f と L の値を代入してみましょう。

問題文より、$L = 1$〔mH〕, 540〔kHz〕$< f < 1600$〔kHz〕

$f = 540$〔kHz〕のとき、$C \approx 86$〔pF〕であり、
$f = 1600$〔kHz〕のとき、$C \approx 10$〔pF〕である。

このことから、可変コンデンサ C の値は、おおよそ <u>10〔pF〕$< C < 100$〔pF〕</u>

（※この答えについては、次ページでさらに詳しく説明します。）

…う、ううううぅ…。今の問題、最後の方でわからなくなりました…。
計算結果が「86」って値だったのに、なんで答えは「おおよそ、10から100」になっちゃうんですか？？
86が、おおよそ100って！　いくらなんでも、大雑把過ぎるような…。

あっ、ごめんなさい。それにはちゃんとした理由がありますー！
実はコンデンサの容量値は、こんなふうに決まっているのです。

E3系列：10、22、47、100を基数とする**倍数値**
E6系列：10、15、22、33、47、68、100を基数とする**倍数値**

つまり、86に近い数字で不等式を満たすのは、100になっちゃうんですよー。

おおっ、単に雑とか手抜きじゃなかったんですね！

もちろんです。で、可変コンデンサは、こういった値を自由に可変出来るように作られているわけなんですよ〜。

ぐぬぬ…。
最後に、可変コンデンサの知識も必要になるとはニクい問題だ…。

また、コンデンサの単位はF（ファラド）ですが、実際にはpF（ピコファラド）μF（マイクロファラド）などがよく使われています。

$$p\,(\text{ピコ}) \quad 10^{-12} = \frac{1}{10^{12}} \;(\text{一兆分の1})$$

$$\mu\,(\text{マイクロ}) \quad 10^{-6} = \frac{1}{10^{6}} \;(\text{百万分の1})$$

ふんふん。
問題は難しかったけど、なんとなくイメージは掴めましたよ。
この**同調増幅回路**のおかげで、ラジオが聞けるんですね！

えーと、ちょっと言いづらいのですが…。
同調増幅は、ラジオを聞くまでの、ステップの1つに過ぎません！
実際のラジオでは、他にも多くの過程があるのですー。

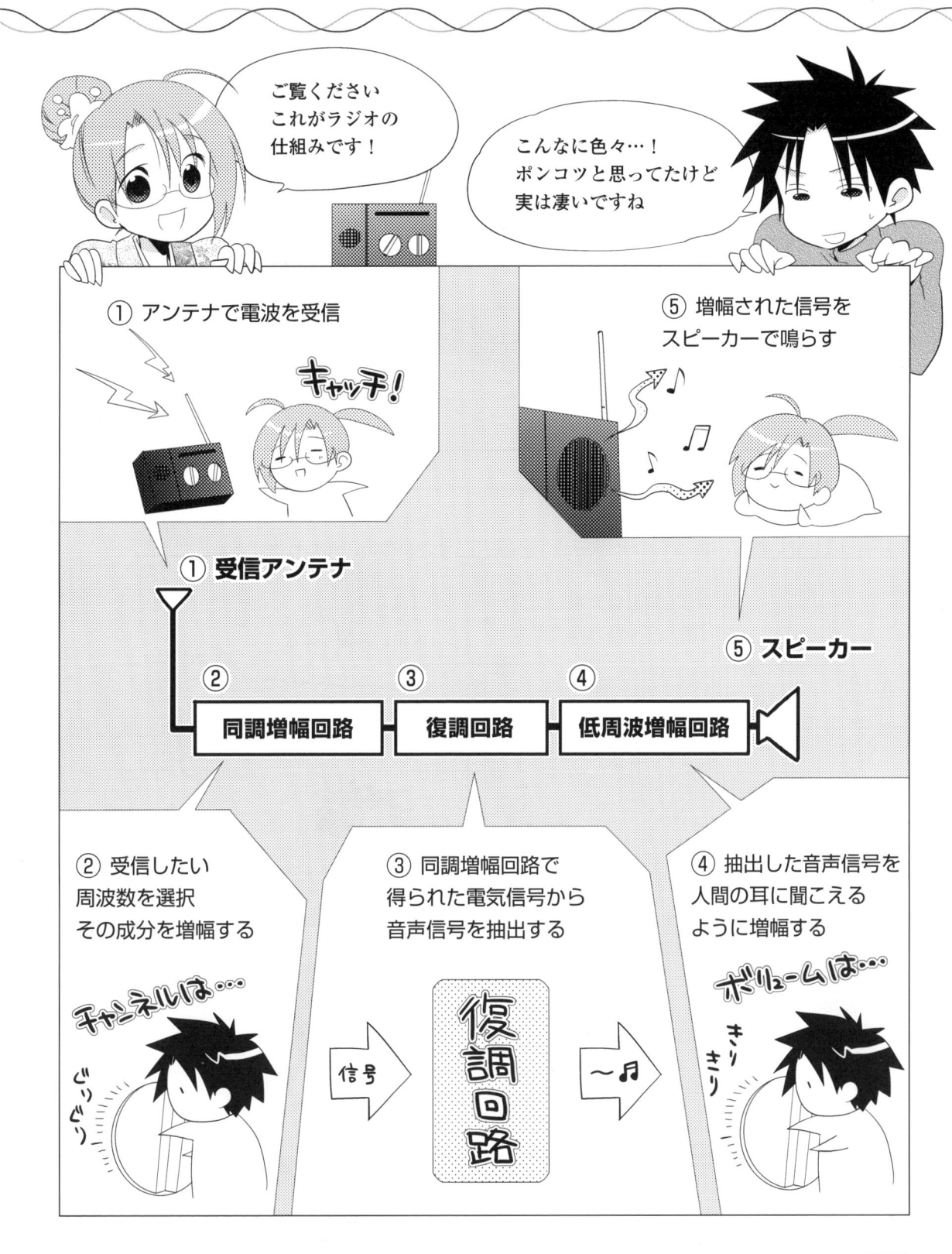

ご覧ください
これがラジオの
仕組みです！

こんなに色々…！
ポンコツと思ってたけど
実は凄いですね

① アンテナで電波を受信

キャッチ！

⑤ 増幅された信号を
スピーカーで鳴らす

① **受信アンテナ**

⑤ **スピーカー**

② 同調増幅回路 — ③ 復調回路 — ④ 低周波増幅回路

② 受信したい
周波数を選択
その成分を増幅する

③ 同調増幅回路で
得られた電気信号から
音声信号を抽出する

④ 抽出した音声信号を
人間の耳に聞こえる
ように増幅する

チャンネルは…
ぐりぐり

信号 → 復調回路 → ～♪

ボリュームは…
キリキリ

3 力率に関する電気数学の問題

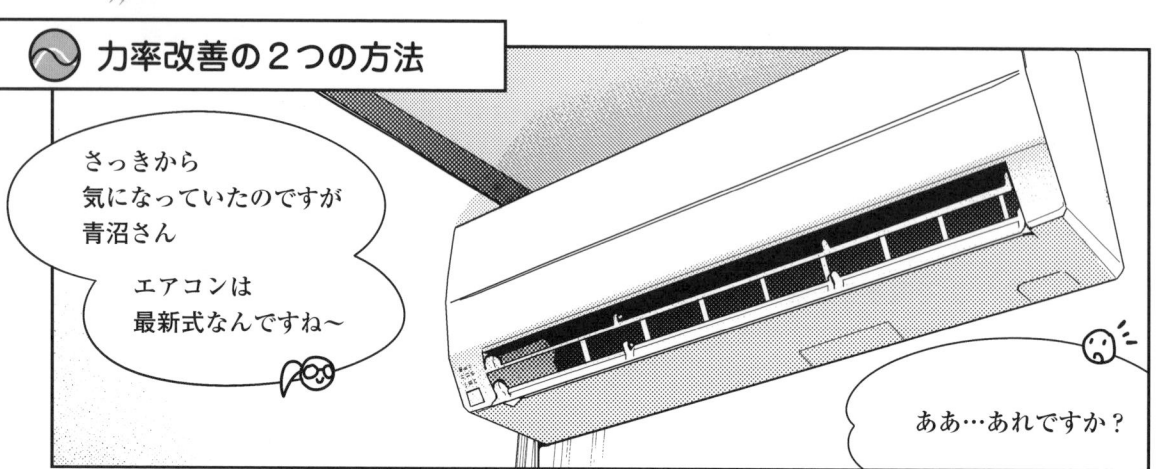

力率改善の2つの方法

さっきから気になっていたのですが青沼さん

エアコンは最新式なんですね〜

ああ…あれですか？

しかも古いクーラーってすごい電気代かかりますよね

付け替えてもらって本当に感謝ですよ！！

ですよねー

備え付けのが古いし効かないしで…
使わないでいたら、夏に死にかけて…

見かねた優しい大家さんが付け換えてくれたんですよ

大家さん

あぁー！

さて、次はその**電気代**のお話です

電気屋さんに行けば
わかると思いますが、
家電製品などはどんどん
省エネルギー化が進んでいます

確かに、
省エネ達成率とか
色々書いてありますよね

家電以外——例えば電車だって
昔と比べると、消費電力が
少なくなっています

これも色んな方々の努力の賜物なのですが…
そもそも「省エネ」とはなんでしょう？
なぜそれが商品のウリになっているのでしょう？

え…
そういえば
なんでだろう…？

省エネとは、消費エネルギーが少ない
電気でいうと**消費電力が少ない**ということです

省エネ
＝
消費電力が少ない
＝
力率改善！

そして消費電力が少ないということは
『**力率改善**』がされているということなんですね

力率改善には主に
（１）無効電力制御
（２）インバータ制御
の２つの方法があります

これらについて
お話していきましょう！

（1）無効電力制御　（2）インバータ制御

(1) 無効電力制御

まずは
(1) 無効電力制御について です

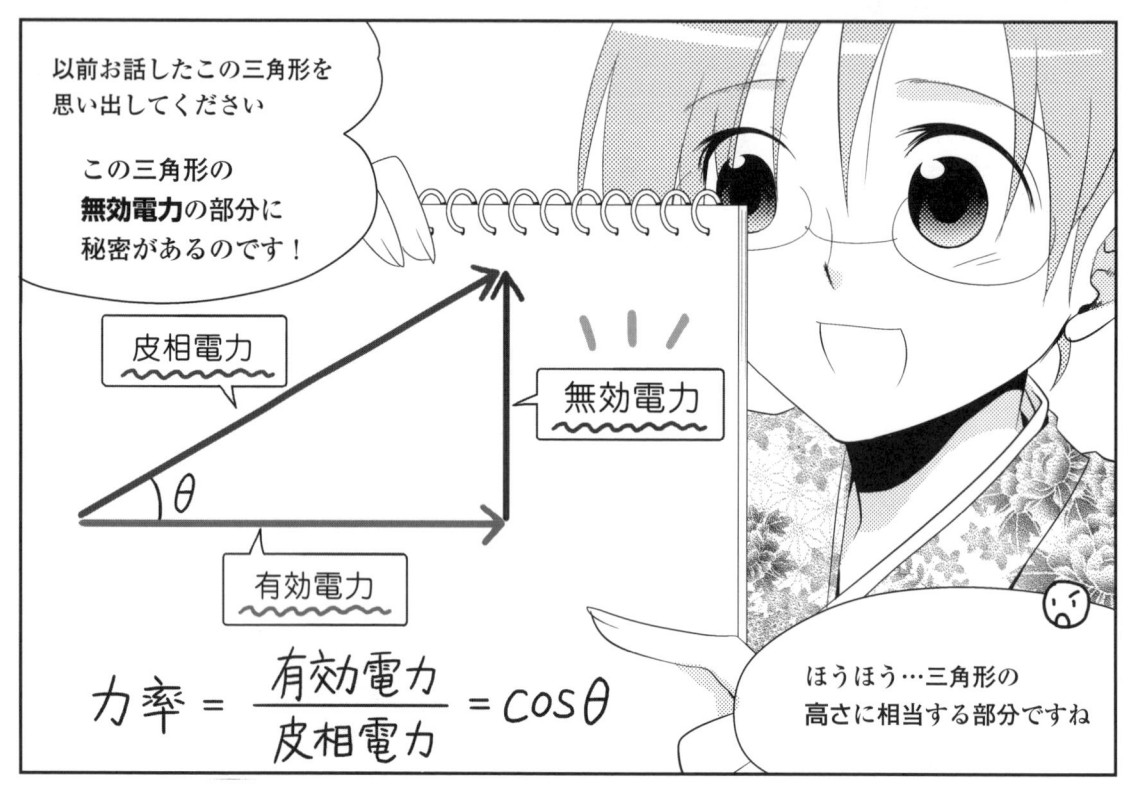

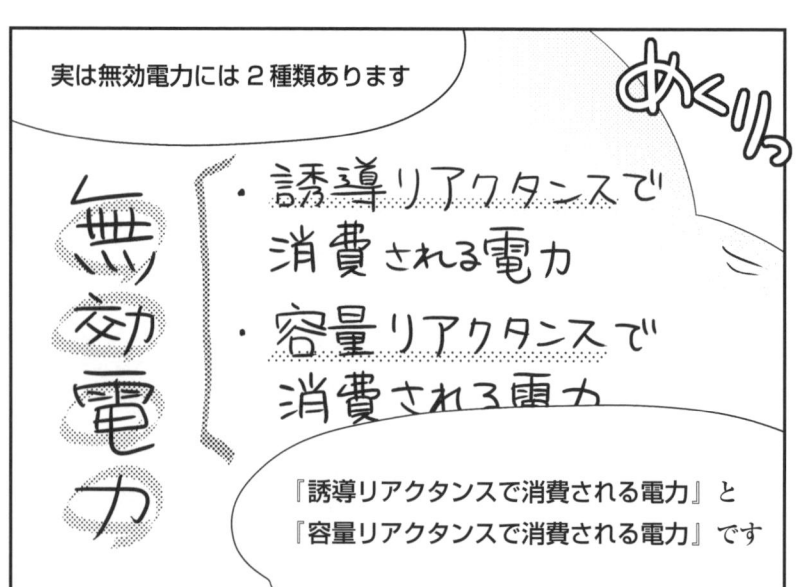

以前お話したこの三角形を思い出してください

この三角形の**無効電力**の部分に秘密があるのです！

皮相電力

無効電力

有効電力

$$力率 = \frac{有効電力}{皮相電力} = \cos\theta$$

ほうほう…三角形の高さに相当する部分ですね

実は無効電力には2種類あります

無効電力
- 誘導リアクタンスで消費される電力
- 容量リアクタンスで消費される電力

『誘導リアクタンスで消費される電力』と『容量リアクタンスで消費される電力』です

誘導リアクタンスと容量リアクタンス…

前にも聞いたような…

思い出してくださいー

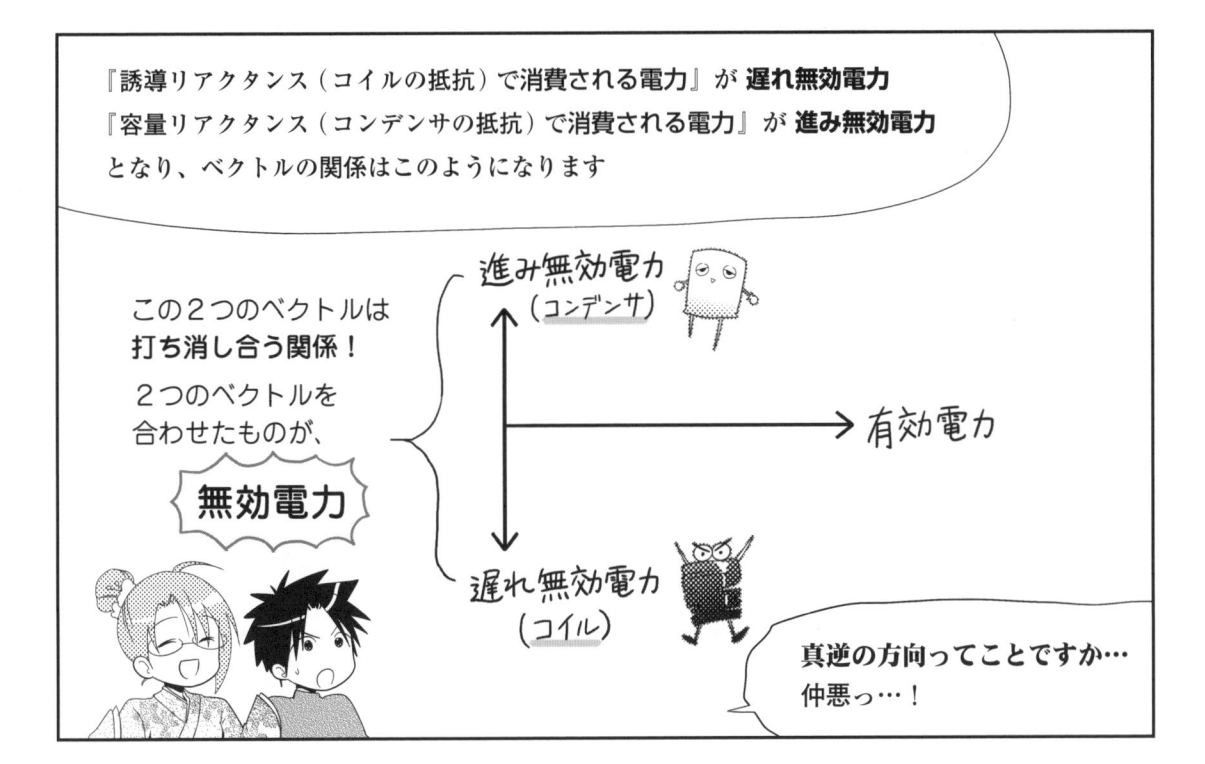

あっこいつら

コイルとコンデンサですね！

よっ！

誘導リアクタンスとは交流における**コイル**の抵抗、容量リアクタンスとは交流における**コンデンサ**の抵抗なのです（P.120やP.122参照）

さて、ここでベクトルも考えてみましょう

キッ

『誘導リアクタンス（コイルの抵抗）で消費される電力』が **遅れ無効電力**
『容量リアクタンス（コンデンサの抵抗）で消費される電力』が **進み無効電力**
となり、ベクトルの関係はこのようになります

この２つのベクトルは**打ち消し合う関係！**
２つのベクトルを合わせたものが、

無効電力

進み無効電力（コンデンサ）

→ 有効電力

遅れ無効電力（コイル）

真逆の方向ってことですか…仲悪っ…！

ん？そういえばコイルとコンデンサって位相の原因でしたよね…？

そうなんですよ～

このお互いのベクトルを打ち消しちゃう性質が、位相や力率に影響しているのです～

227

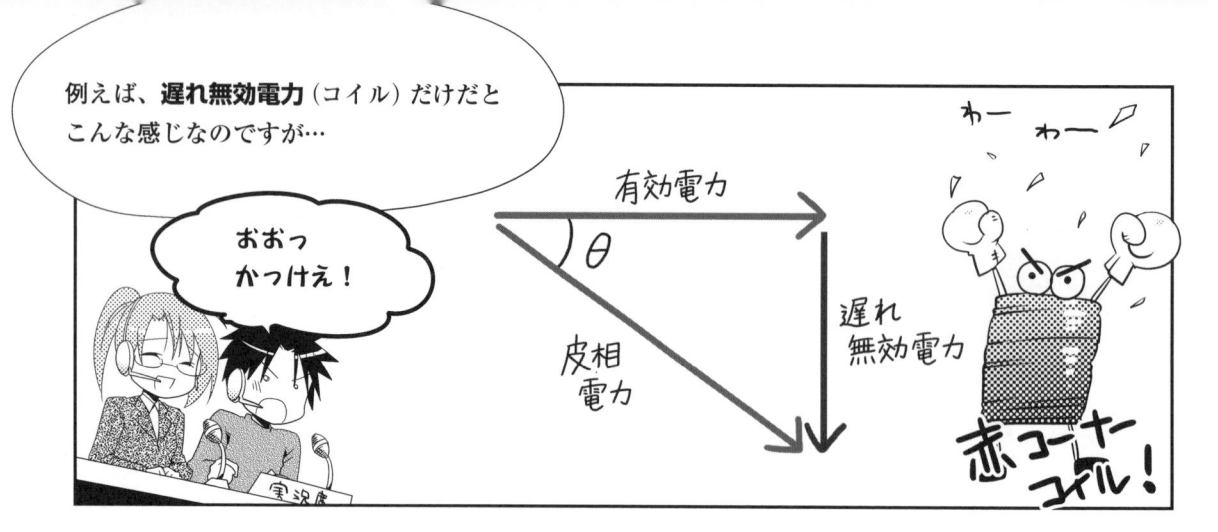

例えば、**遅れ無効電力**（コイル）だけだとこんな感じなのですが…

おおっ
かっけえ！

恋コーナー
コイル！

進み無効電力
（コンデンサ）が入ると
こんなことに
なってしまいます

打ち消し

おおお！
コンデンサのパンチが
効いている！！

三角形の形が
変わってしまった！！
コイルの遅れ無効電力
大ダメージ！！！

そう！

三角形の形が変わってしまった…
つまり θ（角度）が変わってしまった
ということ！

青沼さん！θって
なんでしたっけ！

えっ！
あっ！？

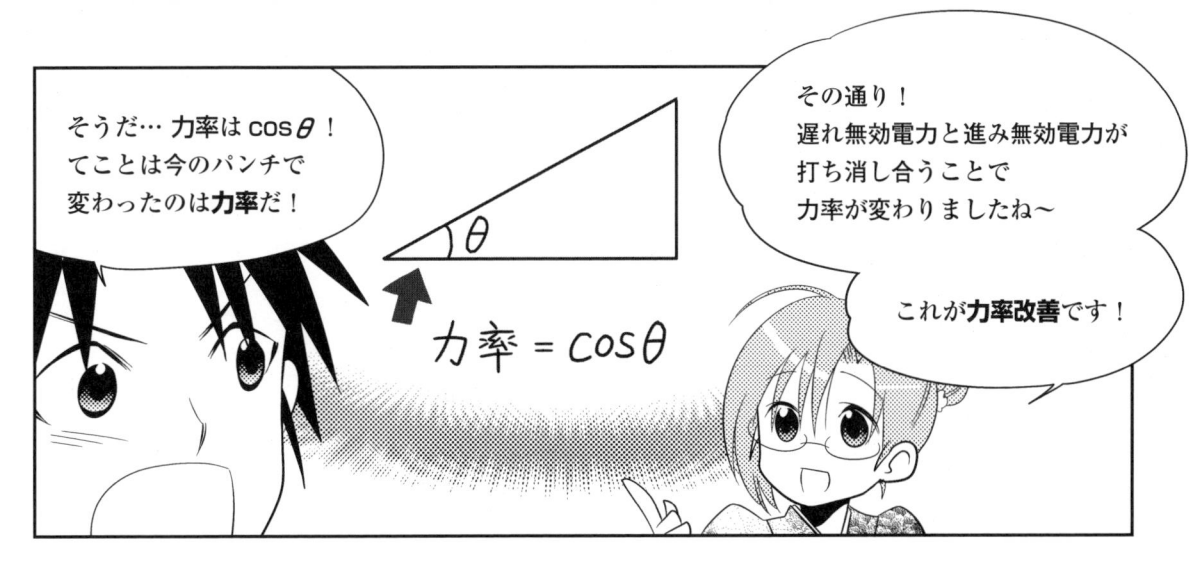

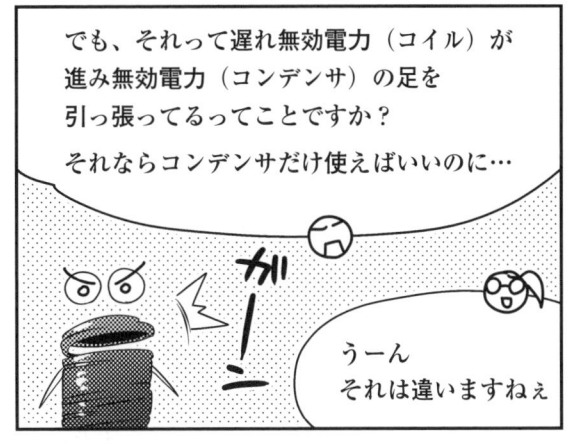

そうだ… 力率はcosθ！
てことは今のパンチで
変わったのは**力率**だ！

力率 = cosθ

その通り！
遅れ無効電力と進み無効電力が
打ち消し合うことで
力率が変わりましたね〜

これが**力率改善**です！

このように、力率改善の裏には
コイルくんとコンデンサくんの
熱いドラマがあるのです…

彼らの打ち消し合う力が
互角になることで、
無効電力が減り
省エネになります…

友情…

なるほど…だから力率改善は
無効電力制御ってことなんですね…

でも、それって遅れ無効電力（コイル）が
進み無効電力（コンデンサ）の足を
引っ張ってるってことですか？
それならコンデンサだけ使えばいいのに…

うーん
それは違いますねぇ

このようにして遅れ無効電力の
お尻を叩くようにして力率改善をしてくれる
コンデンサを**進相コンデンサ**※といいます

コンデンサくんのおかげで
省エネが進むってことですね〜

ほー…

※**進相コンデンサ**は「その働きによる名称」であって、
可変コンデンサのように「そういった名称の部品がある」というわけではありません。

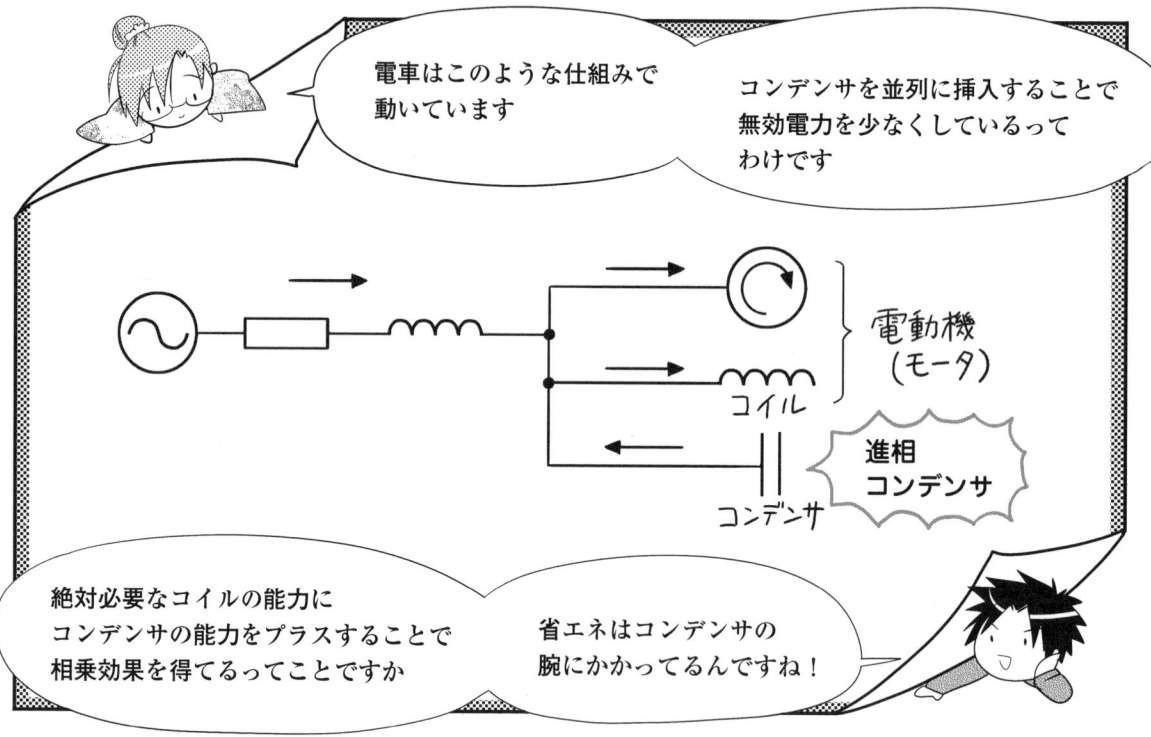

例えば電車も電気で動いているわけですが、動力源の電動機が動くにはモータが必要ですよね？

そうですねぇ

そのモータはコイルがなければ動きません

オレは絶対外せねぇだろ！！

電力で動く多くのモノにはコイルが絶対必要なのです

電車はこのような仕組みで動いています

コンデンサを並列に挿入することで無効電力を少なくしているってわけです

電動機（モータ）
コイル
コンデンサ
進相コンデンサ

絶対必要なコイルの能力にコンデンサの能力をプラスすることで相乗効果を得てるってことですか

省エネはコンデンサの腕にかかってるんですね！

進相コンデンサが力率改善の真相を握ってる…てか

進相が…真相………

わっ…笑えばいいじゃないですか

むしろ笑って下さいよ――！！！

（2）インバータ制御

では、力率改善のもう1つの方法。**インバータ制御**についてです。

いんばーた…？ なんですか、そりゃ。

インバータは『**直流を交流に変換する装置や回路のこと**』です。
エアコンや電車の中にあるんですよ〜。

え…、直流を交流に変換する？ どうして、そんなことするんですか？？
そもそも、エアコンや家電は、コンセントからの**交流**で動いているんじゃ…？
※電車は直流を利用しているものと、交流を使用しているものがあります。

ふふふ。実は、**インバータ**の目的は『**周波数を自由に変える**』ことなのです。
こちらの図をご覧くださいー。

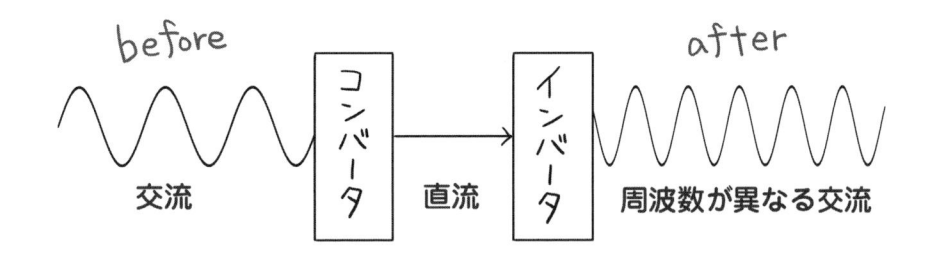

before　交流　→　コンバータ　→　直流　→　インバータ　→　after　周波数が異なる交流

コンバータとインバータで、周波数を変えている様子

インバータは、**コンバータ（整流器）** とセットになっています。
コンセントの交流を、まずはコンバータで直流に変換して、その後インバータを用いて、今度は**別の周波数の交流**に変換するのです。

へえ〜！ 周波数って、変えられるんですかぁ。

はい。このインバータと制御装置の組み合わせにより、色々なことが出来るようになります。
周波数を自由に変えられるということは、**モータの回転数を自由に変えられる**ということなので、非常に便利なんです。

231

例えば、一部の**電車**では、インバータで周波数を変えることで、**速度調整**をしています。

エアコンだって、インバータにより**温度調整**が出来るようになりました。

インバータがない頃は、モータが ON（フル稼働）か OFF（停止）しかなかったんですよ〜。つまり、「温度を一定に保つ」ことが難しかったのです。

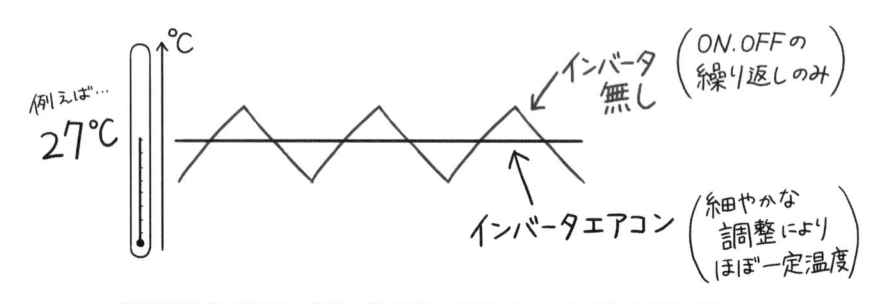

インバータ制御による温度調整のイメージ

温度が一定なら、消費電力の効率のムラも少なくなります。
このように、**インバータ制御**は、便利で省エネでもあるんですねー。

納得です。ON、OFF 繰り返してたら、いかにも電気代が高くなりそうだし！

また、ここでしっかり覚えてほしいことなのですが…。
実は、周波数と力率には深い関係があるんですよ。
思い出してみましょう。
容量リアクタンス（コンデンサ）は、周波数に"**反比例**"
誘導リアクタンス（コイル）は、周波数に"**比例**"してましたよね（P.120 参照）。

つまり、『ある一定以上の周波数になると、容量リアクタンスが不利になって**誘導リアクタンスが有利になるので、その結果、力率が悪くなる**』のです。

232　第5章　方程式・不等式で解ける電気回路（交流回路）

げっ。力率が悪くなるなら、周波数を変えられないじゃないですか〜。
一体どうすりゃいいんだ…。うーん…。

ご安心ください。例えば、電車の場合——
周波数の変化により速度を変える際、一緒にコンデンサも調整しています。
周波数に合わせて容量リアクタンス（コンデンサ）の調整をすることで、**力率改善**を行っているのです。

ほーー！　さすがですね、コンデンサ。抜かりなし！

また、エアコンに関しても、工夫があります。
今では、エアコンが温度調節できるようになったことで、もっとも運転時間が長いところがハッキリしました。
「適温になった後、温度を一定に保つ状態」が一番運転時間が長いのです。
ですから、そこの**力率改善**を行うことで電気代が安くなっています。
※エアコンの電気代が安くなっている理由は他にもあります。詳しくはP.241参照。

ふむふむ。つまり、インバータ制御によって、モータを自由に動かしつつ、同時に力率改善もしっかり行っているんですね。

その通りです〜！　そんなわけで、力率改善についてまとめてみましょう。

> R, L, C と、周波数 f とが絡んで、**力率**が計算される。
> 力率改善の方法は2つ
>
> （1）C で制御する・・・・・・**無効電力制御**
> （2）f で制御する・・・・・・**インバータ制御**

周波数 f を変えるインバータはすごく便利で、**コンデンサ C** も大活躍してるってことですね。
エアコンの場合、適温で身体に優しく、省エネでお財布にも優しい、と。

そういうことです。そして次に、**力率についての問題**も用意してありますよ〜！

…それはちょっと厳しい…かも。

Q. 問題 周波数の範囲を求めよう！

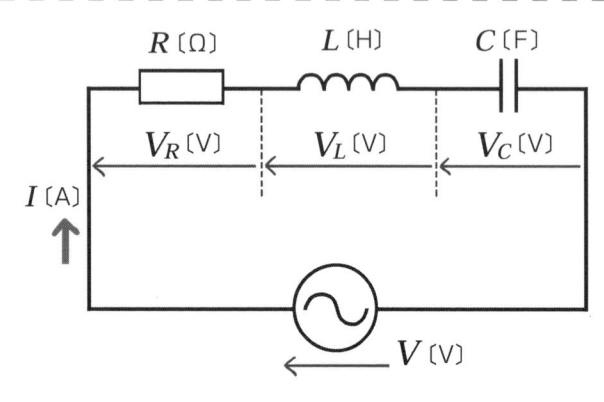

RLC直列回路において、力率が86.6%以上になるような電源の周波数 f の範囲を示せ。なお、力率を86.6%とする力率角を30°と見なして良い。

考え方

うーん。さっきの話で、力率と周波数に関係があることは、わかったんですけど…。
この問題は、どうやって考えていけばいいんだろう…。

思い出してください。力率は、$\cos\theta$ で表せますよね？
その $\cos\theta$ を考えるために、**複素平面上のインピーダンス三角形**をイメージしてみればいいんです。

インピーダンス三角形？ 初めて聞きました。
インピーダンスを表す三角形ってことですか？

その通りですー。**RLC直列回路**があるとします。
回路の抵抗を R、リアクタンスを X、インピーダンスを Z として
これらの関係は、次のような直角**三角形**で表すことが出来るのです。

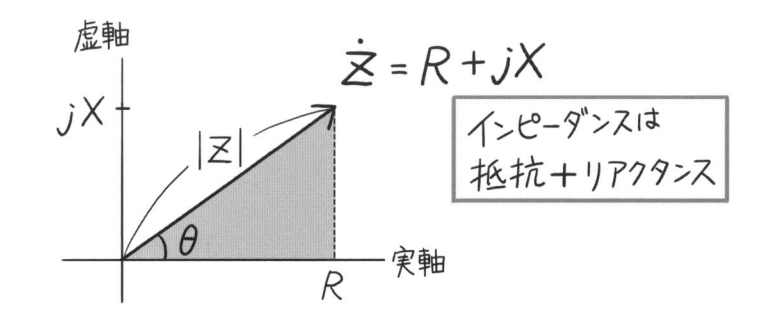

$$\dot{Z} = R + jX$$

インピーダンスは
抵抗＋リアクタンス

このとき、力率 $\cos\theta = \dfrac{R}{|Z|}$ となりますよね〜。

なるほど！ RLC 直列回路のインピーダンスやリアクタンスなら、これまでの問題でわかっています。これなら出来そうです。

A. 解答

RLC 直列回路のインピーダンスは、

$$Z = R + j\left(\omega L - \frac{1}{\omega C}\right)$$

よって、力率 $\cos\theta$ は

$$\cos\theta = \underbrace{\frac{\sqrt{3}}{2}}_{\cos 30°} \leq \frac{R}{\sqrt{R^2 + \left(\omega L - \dfrac{1}{\omega C}\right)^2}}$$

このような式だと複雑であるため、$\tan\theta$ に置き換えて考える。

point! 三角形のイメージがわかっていれば、$\cos\theta$ の代わりに $\tan\theta$ を使えますね。

$$\tan\theta = \frac{\omega L - \dfrac{1}{\omega C}}{R} \leq \underbrace{\frac{1}{\sqrt{3}}}_{\tan 30°}$$

$\tan\theta$ で考える場合、不等号の向きが変わることに注意！

次ページでは、この式をさらに整理して変形させていきます。

この式を整理していきます。

$$\tan\theta = \frac{\omega L - \dfrac{1}{\omega C}}{R} \leq \frac{1}{\sqrt{3}}$$

$$\omega L - \frac{1}{\omega C} \leq \frac{R}{\sqrt{3}} \quad (\text{全体に}R\text{を掛けました})$$

$$\omega^2 LC - 1 \leq \frac{\omega CR}{\sqrt{3}} \quad (\text{全体に}\omega C\text{を掛けました})$$

変形すると、

$$\sqrt{3}\omega^2 LC - \omega CR - \sqrt{3} \leq 0 \quad \cdots\cdots\cdots ①$$

よって①が成立する $\omega = 2\pi f$ を求めれば良い。

ここで、$\sqrt{3}\omega^2 LC - \omega CR - \sqrt{3} = 0$ の解を $\alpha, \beta\ (\alpha < \beta)$ とすると、①の解は $\alpha < \omega < \beta$ となる。

> **point!** 解の公式（P.200 参照）を用いましょう。

$$\alpha = \frac{CR - \sqrt{C^2R^2 + 12LC}}{2\sqrt{3}LC} < 0, \quad \beta = \frac{CR + \sqrt{C^2R^2 + 12LC}}{2\sqrt{3}LC}$$

（$\alpha < 0$ となる）

負の値を持つ周波数は物理的に考えられないことから、

$$0 \leq \omega < \frac{CR + \sqrt{C^2R^2 + 12LC}}{2\sqrt{3}LC}$$

分母の有理化を行うと、$0 \leq \omega < \dfrac{\sqrt{3}CR + \sqrt{3(C^2R^2 + 12LC)}}{6LC}$

> **point!** 分母の $\sqrt{\ }$ を無くすことを、分母の有理化といいます。

$\omega = 0$ のときは、直流を意味します。
直流は位相がありませんので、もちろん力率は100％です！
範囲を求める場合には、$\omega = 0$（直流）も忘れないでくださいね。
また、**インピーダンス三角形**もしっかり覚えておいてください〜！

ヒートポンプ

ふうっ
ちょっと熱く
語ってしまいました

ちょっとエアコンを
お借りしますね

待った———！！

あなた、俺のこないだの状況
知ってるでしょう！
省エネとはいえ
電気代タダじゃないんですよ！

窓開ければ天然の冷房が
超、効いてますからっ！

うふふ
冗談ですよぉー

冗談って…
……あ……

実は、エアコンの不思議の正体は
『ヒートポンプ』という技術のおかげなんです

今ヒートポンプは
エアコン以外にも色々使用されていて、
地球温暖化の切り札なんて
言われているんですよ！

そういえばエアコンって
冷たい風も暖かい風も
出てきますね

よくよく考えると
すごい不思議な…

ふふふ…
最後のお話はそれです

さあパンフレットで
見てみましょう！

ヒートポンプって、なんだろう？

◆ ヒートポンプの2つの特徴。冷却と加熱 ◆

「ヒートポンプ」とは、空気中にある熱を集めて、エネルギーに変換する技術のことです。どこにでも存在する空気から、エネルギーを得ることが出来るなんて凄いですよね。

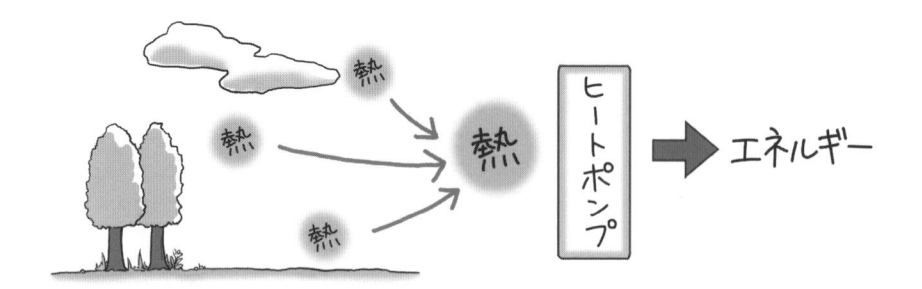

省エネルギー技術として、近年特に注目されているヒートポンプですが…。
実はかなり昔 ── 100年以上前からある技術で、冷蔵庫やエアコンなどの**冷却**に、広く利用されていました。

では、なぜこのヒートポンプが、近年注目されるようになったのでしょう？

実は、ヒートポンプは
「**冷却**」だけではなく「**加熱**」にも
応用出来ることがわかってきたからなのです。

現在では、ヒートポンプは、
暖房や給湯にも利用されています。

◆ どうして、空気からエネルギーが取り出せるの？◆

物質は、**圧縮させたり膨張させたりすると、温度が変化する**という性質があります。
気体（空気）だって、圧縮すると高温になって、膨張させると温度が下がります。
また、**熱は、温度が高いところから低いところへ移動する**性質があります。
ヒートポンプは、これらの性質をうまく利用したものなのです。

ヒートポンプの中には、『**冷媒**（れいばい）』という物質が閉じ込められています。
冷媒とは、温度の移動に欠かせない媒介（ばいかい）の役割をする物質です。
ガス（気体）であったり、圧縮によって液体に変化したりもします。

> 冷媒は、フロン、アンモニア、二酸化炭素などがあり、
> 現在は二酸化炭素が主流となっていますよ〜

この冷媒が、圧縮させられたり、膨張させられたりすることで、温度が変化します。
その温度変化を利用すれば、冷却や加熱が出来るわけです。

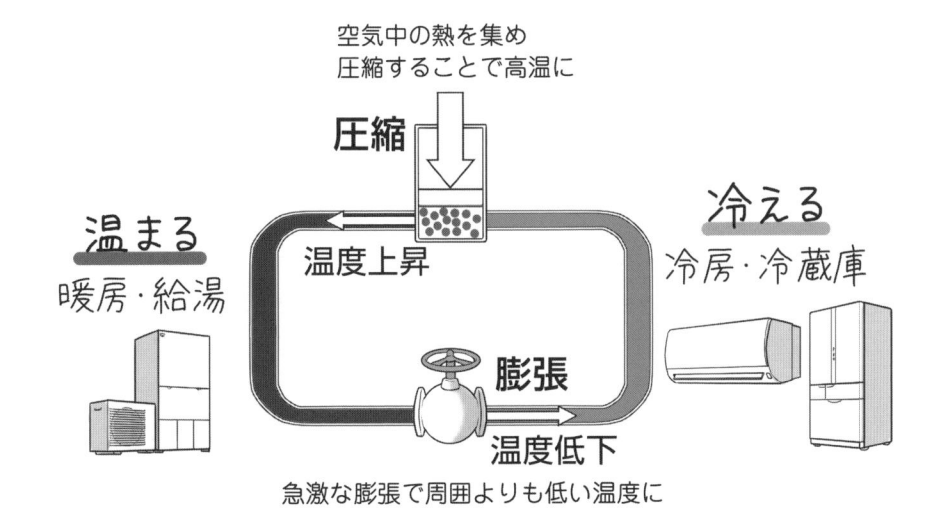

空気中の熱を集め
圧縮することで高温に

圧縮

温まる
暖房・給湯

温度上昇

冷える
冷房・冷蔵庫

膨張
温度低下

急激な膨張で周囲よりも低い温度に

ヒートポンプの仕組みのイメージ図

科学技術政策　http://www8.cao.go.jp/cstp/5minutes/013/index2.html より引用・一部修正

◆ どうして、エアコンは冷房も暖房も出来るの？◆

エアコンは、**冷媒**の流れを変える
（**熱の移動の方向を変える**）ことで冷房と暖房
の両方を行っているのです。

エアコンは、室内機と室外機がセットになって
いて、冷媒はこの間をぐるぐる循環してます。

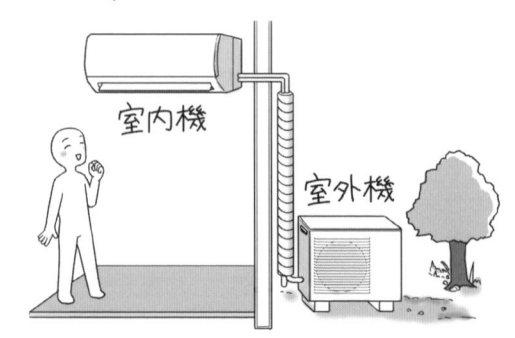

ヒートポンプは、冷媒を用いて「熱を移動させる技術」といえますね。

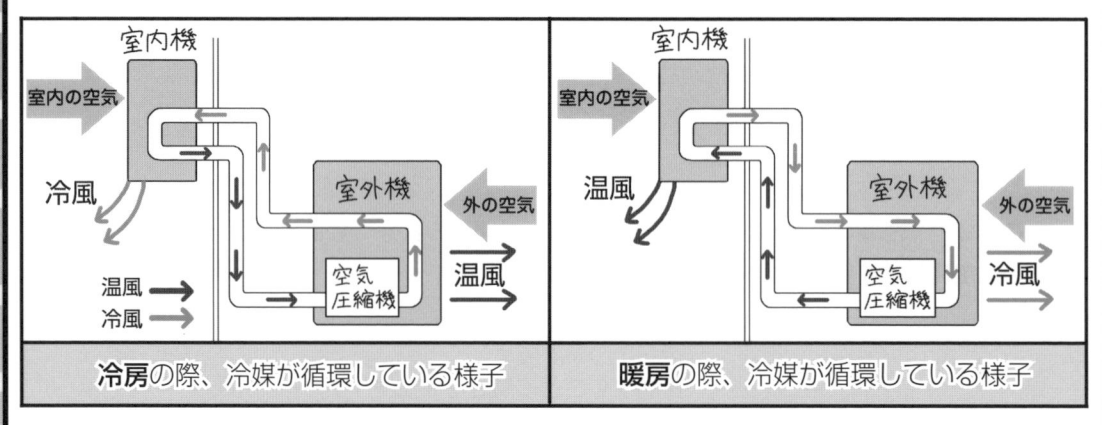

冷房の際、冷媒が循環している様子　　**暖房**の際、冷媒が循環している様子

エネルギアなん電だろう調査隊　http://www.energia.co.jp/eland/chosatai/index.html より引用・一部修正

◆ どうして、ヒートポンプは省エネなの？◆

さて、この便利なヒートポンプを動かすのにも、電気は必要です。
電気が必要となると、「ちっとも省エネじゃない」と思ってしまうかもしれませんが、
通常の方法で熱を発生させる場合に比べて、**必要な電力量が大きく変わってきます。**

通常、熱を発生させる場合、利用エネルギーの分だけ使用電力が必要となります。
ところが、ヒートポンプを用いて熱を発生させる場合、電力はヒートポンプを動かすだけ。
あとは、空気中の熱を集めて移動させることで利用エネルギーを作り出します。
つまり、**発熱の原理が大きく異なります。**
この原理の違いが、省エネになっているのです。

◆ エアコンの電気料金が昔より安くなった理由 ◆

そういったわけで、ヒートポンプは、エネルギー効率がとても良いのです。
ヒートポンプのエネルギー消費効率を表すには、「ＣＯＰ」というものがあります。

$$COP = \frac{冷暖房などの能力〔kW〕}{消費電力〔kW〕}$$

例えば、ＣＯＰ４であれば、１ｋＷの電力で４ｋＷの冷暖房を行うことが出来るのです。
ヒートポンプの今後に期待しつつ、私たちも大切に電気を使っていきましょう。

> さて、これでやっと
> この疑問も解けました！
> これで学習も終わりです～

> ついに解決しましたね！
> 俺の部屋のエアコンに
> こんな秘密があったとは…！

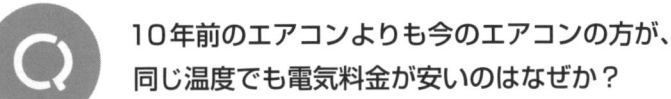

Q 10年前のエアコンよりも今のエアコンの方が、同じ温度でも電気料金が安いのはなぜか？

A 『インバータ制御』
『進相コンデンサによる無効電力制御』
『ヒートポンプ』のおかげで、
省エネルギー化（消費電力の軽減）が進んでいるから。

——というわけで あっという間の年末年始でしたねー

年越してしまってすみません 年内に終われば良かったのですが…

いや、そんな…！こんなに色々教えてもらえるとは思ってませんでしたし…！

どうでしたでしょうか 電気数学 楽しんでいただけましたか？

えっ… あ…はい すごく！

…本当に… 終わっちゃうんだな…

…あの… もしかして

なんか無理に感想言わせちゃいました…？

いやいやいやいや！本当にすごく楽しかったです！

あああ…
失敗した
完全に
ネガティブモードだ…
あ…あの！
橘さん！
せっかくなので
初詣していきませんかっ！
ちゃり
ちゃりーん
なにお願い
しました？
ふふふ
デンくんのグッズが
いーっぱい出ますように！
です！
NOTE
ああ…

よかったー… とりあえず 元気になってくれて	「青沼さんが電気数学得意になりますように」って！
青沼さん 絵馬書きません？	どうでしょう？

		…ありがとうございます／いいえ〜

……あ／青沼さんが電気数学を好きになりますように！ あかり	橘さんの名前…／あかりって言うんですね

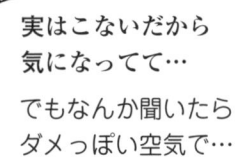

み…見ました！？
見たんですか！！？

す…
すみません…

実はこないだから
気になってて…

でもなんか聞いたら
ダメっぽい空気で…

いい名前…だと
思いますよ

あかりさんって

…この名前の由来はですね…

カトリック教会の
「暗いと不平を言うよりも、
進んであかりをつけましょう」
って言葉らしいんです

でも私自身は
暗くて不平を言っちゃうような
ネガティブな性格で…

例えばクリスマスでも…
「幸せなやつらは不幸になっちゃえばいいのに！」
みたいに、すぐ嫉妬しちゃう自分がいて…
嫌になっちゃって…

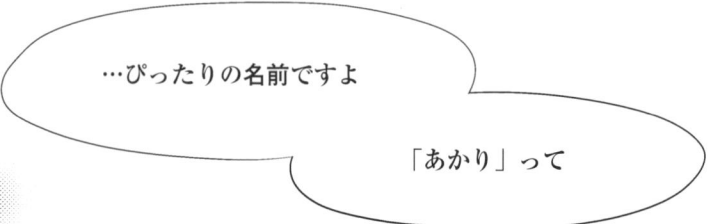

…だからこんな名前…

恥ずかしくて…

……

…ぴったりの名前ですよ

「あかり」って

…だって、ほら
思い出してくださいよ

——俺達が最初に会ったとき

うちに灯りをつけてくれたのは

他の誰でもない
あかりさんだったじゃ
ないですか
教学を絶対に
あぜせ無遅刻
無欠席!!
…そ
それに
こないだから思ってたけど
あかりさん自身が
電気みたいなんですよ
なんかこう…
スイッチがあるというか
波があるというか
明るくなったり
暗くなったり…
ぎゅ
ぎゅっ
〜〜〜あとなんか…
うん…

……すごい……

大事な存在
なんだなぁって……

……

な

いまのは
聞かなかったことに

ぜひ！！！！

何言ってんだ
俺は――――！！！

いやなんでも
ないです！！

…それってもしかして

電気の計算みたいに面倒だってことでしょうか…？

！！

そういうことでもなくっ

あああぁなんていうか

嘘ですよっ　ありがとうございます青沼さん

なんだか自分の名前…

好きになれそうです

…いいえ…

よかった

笑ってくれてる…

青沼さん

よかったら連絡先…交換しませんか？
メールアドレスだけでもいいので…

えっ！！？

い、いいんですか…
俺っ…
ケータイの電話帳に女の人なんていないんですけど

じゃ私が一番乗りですね

ふふっ

また電気数学について困ったときにも
…それ以外の時でも

いつでも連絡とれるようにしておきます

マジで…！！！

じゃ、じゃあ俺から送りますね…！！！

わた わた

はい

――この時　俺は

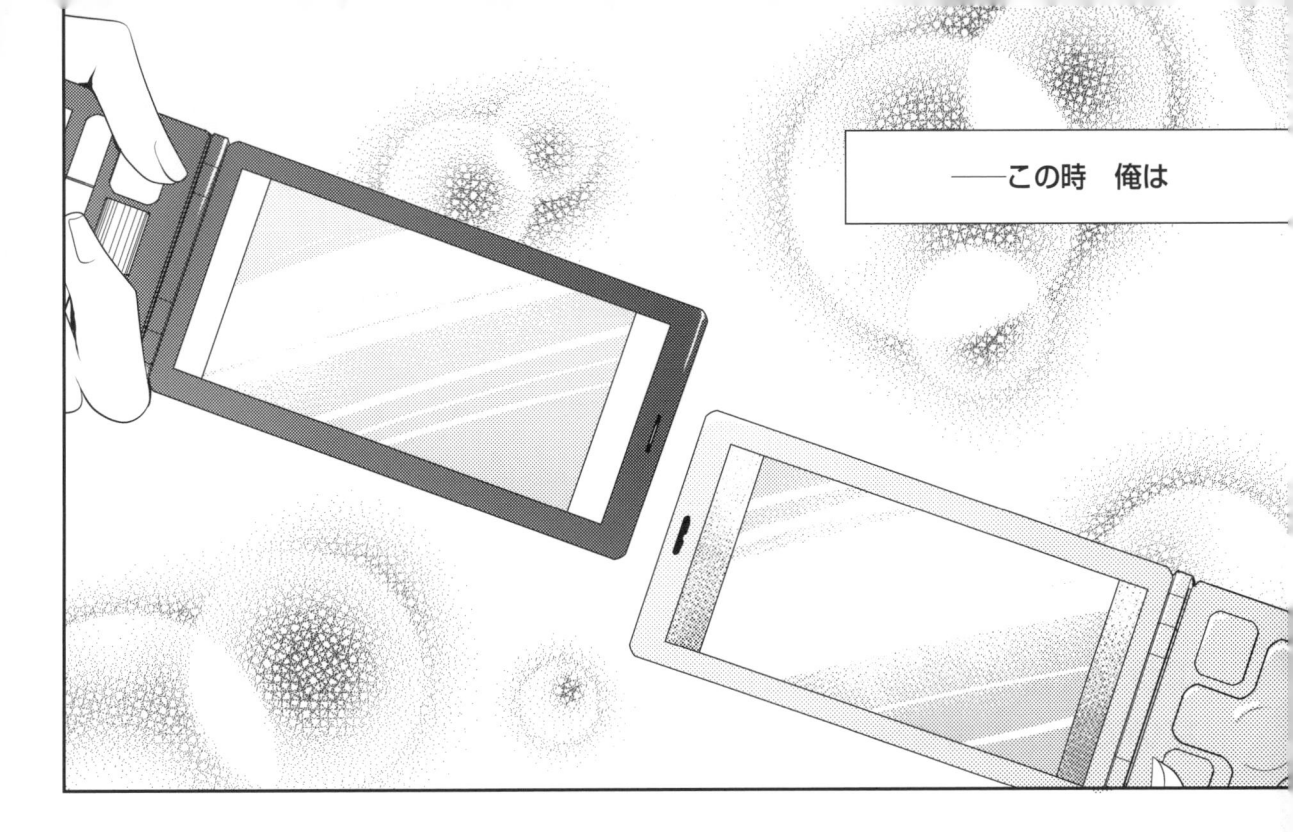

本当に、あかりさんとの出会いは、
俺の人生にとって　一筋の光だったんだなぁと思った。

今年は…
変われる気がする…！！

おおお……！

なんか…なんかすごい
体験をした気がする

俺…こんなに
人と仲良くなれたんだ…！

ぽん！

わっ
橘さん！
さっき駅まで
送っ…
……電車に乗って
すぐ…
初めてのメール
送ってみようって…
一生懸命作って
送ったのに…
エラーで返ってきちゃったじゃ
ないですかぁぁぁっ！！！
ケータイ料金
ちゃんと払ってない
でしょう――――！！！
ああっ！！！！
ちゃんと払いなさい
も――――！！！
デンくん
アターック!!
わーっ
すみませーんっ
…なんとか頑張って
変わるしかない……

関連書籍・参考文献

⚡ 関連書籍

ここでは、比較的わかりやすく入手しやすい
「電気数学」というキーワードの書を列挙しています。
本書を読んだ後、各自で読みながら勉強されると良いでしょう。

- 大谷嘉能・幅敏明 著
  『完全マスター電験三種受験テキスト 電気数学』オーム社（2009）

- 家村道雄 著
  『電験三種 計算問題の徹底研究』オーム社（2005）

- 真栄里仁雄 著
  『基礎から理解！電験三種合格のための数学入門』オーム社（2006）

- 武原春輝 著
  『電験三種 数学超入門』オーム社（2009）

⚡ 参考文献

- 田中賢一 著
  『マンガでわかる電子回路』オーム社（2009）

- 飯田芳一 著
  『マンガでわかる電気回路』オーム社（2010）

- 大熊康弘 著
  『図解でわかる はじめての電気回路』技術評論社（2000）

- Newton 別冊
  『虚数がよくわかる──"ありもしない"のに、難問解決に不可欠な数』
  ニュートンプレス（2009）

- 社団法人 日本電気技術者協会 音声付き電気技術解説講座
  http://www.jeea.or.jp/course/

- 今の技術がよくわかるテクノマガジン テクマグ
  http://www.tdk.co.jp/techmag/index.htm

- 電気屋ののちん日記講座
  http://plaza.rakuten.co.jp/nonochin1974/

索 引

数字・英語・記号

1次不等式 ……………………… 100
1周期 …………………………… 34, 115
2次不等式 ……………………… 198, 205
2次方程式 ……………………… 198
2倍角の公式 …………………… 141
3倍角の公式 …………………… 142

COP ……………………………… 241
cos のグラフ …………………… 31
exp 関数 ………………………… 158
f ………………………………… 34, 115
F（ファラド） ………………… 222
Im ………………………………… 47
j ………………………………… 47, 179
$R_1R_4 = R_2R_3$ ……………… 93
rad（ラジアン） ……………… 110, 113
Re ………………………………… 47
RLC 直列回路 ……… 126, 212, 234, 235
$\sin\theta$、$\cos\theta$、$\tan\theta$ … 11
sin のグラフ …………………… 29, 31, 32
y 軸に投影する ……………… 30

ε（イプシロン） …… 158
ω（オメガ） …………… 114
Δ（デルタ） …………… 80, 83, 87
π（円周率） ……………… 111, 112, 159

ア行

位　相
……… 43, 107, 109, 121, 151, 172, 179
位相角 …………………………… 109, 136
位相差 …………………………… 43

位相と力率の関係 ……………… 137
位相を表すベクトル …………… 107
因数分解 ………………………… 201, 202
インダクタンス ………………… 119, 122
インバータ ……………………… 231
インバータ制御 ……… 225, 231, 232, 241
インピーダンス
……………… 125, 153, 209, 216, 219
インピーダンス三角形 ………… 234, 236
渦電流 …………………………… 189
円運動 …………………………… 29, 42
オイラーの公式
……………… 142, 154, 156, 158, 160, 186
オイラーの等式 ………………… 156, 159
オームの法則 …………………… 22, 71, 176
遅れ位相 ………………………… 118
遅れ無効電力 …………………… 227, 228
オシロスコープ ………………… 24

カ行

回転ベクトル
……………… 42, 43, 44, 50, 108, 168
解の公式 ………………………… 200
回路解析 ………………………… 75
回路図 …………………………… 183
ガウス平面 ……………………… 155
角周波数 ………………………… 114, 115
角速度 …………………………… 37, 114, 115
可変コンデンサ ………………… 211, 220
加法定理の公式 ………………… 141
関　数 …………………………… 157
感　電 …………………………… 191
既知数 …………………………… 79
起電力 …………………………… 118

逆起電力	118
キャパシタンス	121, 122
共振周波数	210, 211, 212, 218, 219
共役複素数	169
行　列	76
行列式	78, 79
行列法	78, 84
極形式	163, 164
極座標表示	164
虚　軸	48
虚　数	45, 46, 145, 146, 150, 151, 155
虚数軸	48
虚数成分	161
虚数単位	159
虚　部	161, 171
キルヒホッフ第1法則	59
キルヒホッフ第2法則	62, 65, 67, 73
コイル	21, 116, 117, 123, 208, 209
コイルのリアクタンス	120
高圧電線	188
合計ゼロの法則	66
合成抵抗	70, 71
交　流	11, 25, 39, 106, 110, 126, 172
交流電圧の式	160
交流電源	21
交流における3つの素子	124
交流の波形	32
弧度法	110, 150, 186
コレクタ電流	215
コンデンサ	21, 116, 117, 123, 136, 208, 209
コンデンサのリアクタンス	120
コンバータ	231

サ行

最大値	35, 43
サラスの方法	87, 91, 92
三角関数	11, 27, 39, 41, 140, 157, 168
三角関数のグラフ	27
三角関数の合成公式	141
三角関数表示	164
三角比	140
三元連立方程式	77, 85, 91
三相交流	181, 182
三相交流の回路図	185
三平方の定理	140
指　数	157
次　数	100, 157
指数関数	156, 157, 158, 186
指数関数表示	164
自然対数の底	157, 159
実効値	35
実　軸	48
実　数	46, 54
実数軸	48
実数成分	161
実　部	161, 171
充電する	121
周波数	18, 34, 115, 207, 209
周波数特性	216
周波数に比例・反比例	120, 209, 232
出力電流	216
瞬時値	35
瞬時値の公式	36
省エネ	225
消費電力	225
スカラー	41
進み位相	121
進み無効電力	227, 228
進相コンデンサ	229, 230, 241

正弦波	32
正弦波交流	32, 43
正弦波の最大値	109
静止ベクトル	108
静電容量	211
整流器	231
積分	177, 178, 179
絶縁電線	191
絶対値	42, 170
増幅	214, 216
速度調整	232
素子	116

タ行

ダイオード	214
たすき掛け	81, 85
単位円	30
単相交流	181, 182
力率改善	225, 229, 233
直流	11, 25, 39
直流電源	21
直列接続	23, 210
直列の合成抵抗	70
直交形式	163, 164
直交座標表示	164
定格	98
抵抗	19, 20, 21, 40, 61, 117, 119, 153
低周波増幅回路	223
定常状態	176
定数項	81
電圧	18, 40
電圧降下	60, 61, 62
電圧差	191
電圧の最大値	35
電圧保存の法則	62
電位差	18

電気エネルギー	121
電気回路	20
電気数学	9, 10, 12, 38, 198
電気容量	211
電源電圧	20, 62, 118
電子回路	214
電流	18, 19, 20, 40, 61
電流増幅率	216, 218, 219
電流の大きさの調整	98
電流の最大値	35
電流保存の法則	59, 62, 64
電力	18, 19, 132
電力の損失	189
電力量	240
等価回路	216, 217
同相	123
同調	208, 209, 211
同調回路	209
同調増幅回路	214, 217, 218, 222, 223
同調点	210
トランジスタ	214

ナ行

二元連立方程式	77, 80, 81, 85
入力電流	216
ネイピア数	157
ノルム	170

ハ行

倍数値	222
波形	24
バリコン	211
半角の公式	141
半導体素子	214
反時計まわり	109, 147

判別式D	200
ヒートポンプ	237, 238, 241
微積分方程式	175, 176
皮相電力	133, 134
ピタゴラスの定理	140
微分	177, 178, 179
微分積分	80, 157
ヒューズ	98, 99
負荷	19
負荷抵抗	98
複素数	39, 46, 48, 50, 54, 138, 145, 146, 151, 152, 168
複素数の加減乗除	171
複素数のノルム	170
複素数の偏角	170
複素表示の式	176
複素平面	48, 147, 155, 234
複素ベクトル	49, 129, 160, 172
複素ベクトルの表示方法	162
復調回路	223
不等号	96, 205
不等式	96
ブリッジ回路	88
平衡	95
平行移動	128
平衡条件	90
閉ループ	20, 68
並列接続	23
並列の合成抵抗	70
ベース電流	215
ベクトル	39, 41, 50, 107
ベクトルの合成	128
ベクトル和	127
ホイートストンブリッジ回路	88, 93

マ行

マイナスの電力	137
未知数	79
無効電力	133, 226
無効電力制御	225, 226, 229, 241
無理数	157
モータ	130

ヤ行

有効電力	133, 134
誘導リアクタンス	120, 209, 227
容量リアクタンス	122, 209, 227

ラ行

ラジアン法	110, 112
リアクタンス	119, 122
力率	134, 135, 229, 233
力率改善	136
力率角	135, 136
理想電流源	217
冷媒	239, 240
連立不等式	204
連立方程式	39, 40, 76, 78

ワ行

和分の積	71

〈著者略歴〉

田中 賢一（たなか けんいち）
1969年7月29日　宮崎県延岡市生まれ
1990年3月　国立都城工業高等専門学校電気工学科卒業
1994年3月　九州工業大学大学院 工学研究科博士前期課程電気工学専攻修了
九州工業大学工学部電気工学科電気基礎工学講座助手などを経て、
現在　長崎総合科学大学共通教育部門教授
博士（工学）（九州工業大学）

〈主な著書〉

『電子透かし技術』（東京電機大学出版局）
『マンガでわかる電子回路』（オーム社）
『画像メディア工学』（共立出版）
『例解・アナログ電子回路』（共立出版）

⚡ 制　　作：　オフィス sawa
2006年設立。医療、パソコン、教育系の実用書
や広告を多数制作。イラストやマンガを多用した
マニュアル、参考書、販促物などを得意とする。
e-mail：office-sawa@sn.main.jp

⚡ シナリオ：　澤田 佐和子

⚡ 作　　画：　松下 マイ

⚡ ＤＴＰ：　オフィス sawa

- 本書の内容に関する質問は、オーム社ホームページの「サポート」から、「お問合せ」の「書籍に関するお問合せ」をご参照いただくか、または書状にてオーム社編集局宛にお願いします。お受けできる質問は本書で紹介した内容に限らせていただきます。なお、電話での質問にはお答えできませんので、あらかじめご了承ください。
- 万一、落丁・乱丁の場合は、送料当社負担でお取替えいたします。当社販売課宛にお送りください。
- 本書の一部の複写複製を希望される場合は、本書扉裏を参照してください。

JCOPY ＜出版者著作権管理機構 委託出版物＞

マンガでわかる電気数学

2011年11月25日　第1版第1刷発行
2025年 5 月25日　第1版第13刷発行

著　者　田中賢一
作　画　松下マイ
制　作　オフィスsawa
発行者　髙田光明
発行所　株式会社　オーム社
　　　　郵便番号　101-8460
　　　　東京都千代田区神田錦町3-1
　　　　電話　03(3233)0641(代表)
　　　　URL　https://www.ohmsha.co.jp/

© 田中賢一・松下マイ・オフィスsawa 2011

組版　オフィスsawa　　印刷・製本　壮光舎印刷
ISBN978-4-274-06819-5　Printed in Japan

好評関連書籍

マンガでわかる 電磁気学

遠藤雅守 著
真西まり 作画
トレンド・プロ 制作

B5 変判 264 頁
ISBN 978-4-274-06849-2

マンガでわかる 虚数・複素数

相知政司 著
石野人衣 作画
トレンド・プロ 制作

B5 変判 234 頁
ISBN 978-4-274-06823-2

マンガでわかる 半導体

渋谷道雄 著
高山ヤマ 作画
トレンド・プロ 制作

B5 変判 200 頁
ISBN 978-4-274-06803-4

マンガでわかる 電気回路

飯田芳一 著
山田ガレキ 作画
パルスクリエイティブハウス 制作

B5 変判 240 頁
ISBN 978-4-274-06795-2

マンガでわかる 電子回路

田中賢一 著
高山ヤマ 作画
トレンド・プロ 制作

B5 変判 186 頁
ISBN 978-4-274-06777-8

マンガでわかる 電気

藤瀧和弘 著
マツダ 作画
トレンド・プロ 制作

B5 変判 224 頁
ISBN 4-274-06672-X

マンガでわかる シーケンス制御

藤瀧和弘 著
高山ヤマ 作画
トレンド・プロ 制作

B5 変判 210 頁
ISBN 978-4-274-06735-8

マンガでわかるフーリエ解析

渋谷道雄 著
晴瀬ひろき 作画
トレンド・プロ 制作

B5 変判 256 頁
ISBN 4-274-06617-7

◎品切れが生じる場合もございますので、ご了承ください。
◎書店に商品がない場合または直接ご注文の場合は下記宛にご連絡ください。
TEL.03-3233-0643 FAX.03-3233-3440 http://www.ohmsha.co.jp/